Published by D.C. Thomson Annuals Ltd in 2016
D.C. Thomson Annuals Ltd, 185 Fleet Street London EC4A 2HS

WULLIE HAS A FEELING O' DREAD,
WHEN PA'S ABOOT TAE OPEN HIS SHED.

WHIT BRAW! AFTER A' THON GALES AND RAIN, WE'VE GOT SNAW.
NAE FLOODIN' FOR AUCHENSHOOGLE. JUST BRAW WHITE STUFF TAE PLAY IN.
I'LL BE A GUID LADDIE AND CLEAR THE PATH FIRST.
THIS WEE SPADE IS FINE FOR GIRVAN SANDS BUT NO' FOR CLEARING SNAW.
BUT A LADDIE LIKE ME IS NEVER STUCK IF HE HAS A STICK.
I'LL MAKE ONE O' THEY HUGE SNAW SHOVELS LIKE THEY SELL AT THE PETROL STATION.
I'LL SHIFT MOUNTAINS O' SNAW WI' THIS SHOVEL.
DUMPIN' SNAW DOON A POLIS OFFICER'S NECK IS A BOOKABLE OFFENCE.
CRIVVENS! PC MURDOCH.
THAT'S THE PATH CLEAR. BUT IT SEEMS A PITY TAE HAVE SUCH BRAW STUFF AS SNAW JUST LYING IN HEAPS.
IF I STORED IT IN MY SHED I'D HAE SNAW WHEN NAEBODY ELSE DID.
THAT WAS HARD WORK BUT I'LL BE ABLE TAE SNOWBALL FOWK WHEN THEY DINNA EXPECT IT.
AWA' TAE YOUR BED IF YE'RE TIRED, WULLIE.
DREAMING O' SNOWBALLING FAT BOAB AND SOAPY SOUTAR.
A' THAT SHOVELLING HAS TIRED YOU OOT.
AYE, AN EARLY NICHT AND I'LL BE READY FOR ACTION TOMORROW.
BUT, NEXT MORNING–
MICHTY! WHAT A SHIFT THE SNOW'S GOT. THERE'S BEEN A RICHT THAW OVERNIGHT.
I'LL TAK' MY BIKE TAE WORK. I'M RUNNING LATE.
I'M IN A HURRY, WULLIE.
ERM... DINNA BE HASTY THERE, PA.
HOWL! A FLOOD!
MY SNAW SUPPLY TURNED TAE WATER.
PA'S NOT AWFY PLEASED WI' ME, BUT HE'LL THAW OOT BY NICHT.

WULLIE WANTS A PLACE TO HIDE -
AFTER HIS ANTICS ON THE SLIDE.

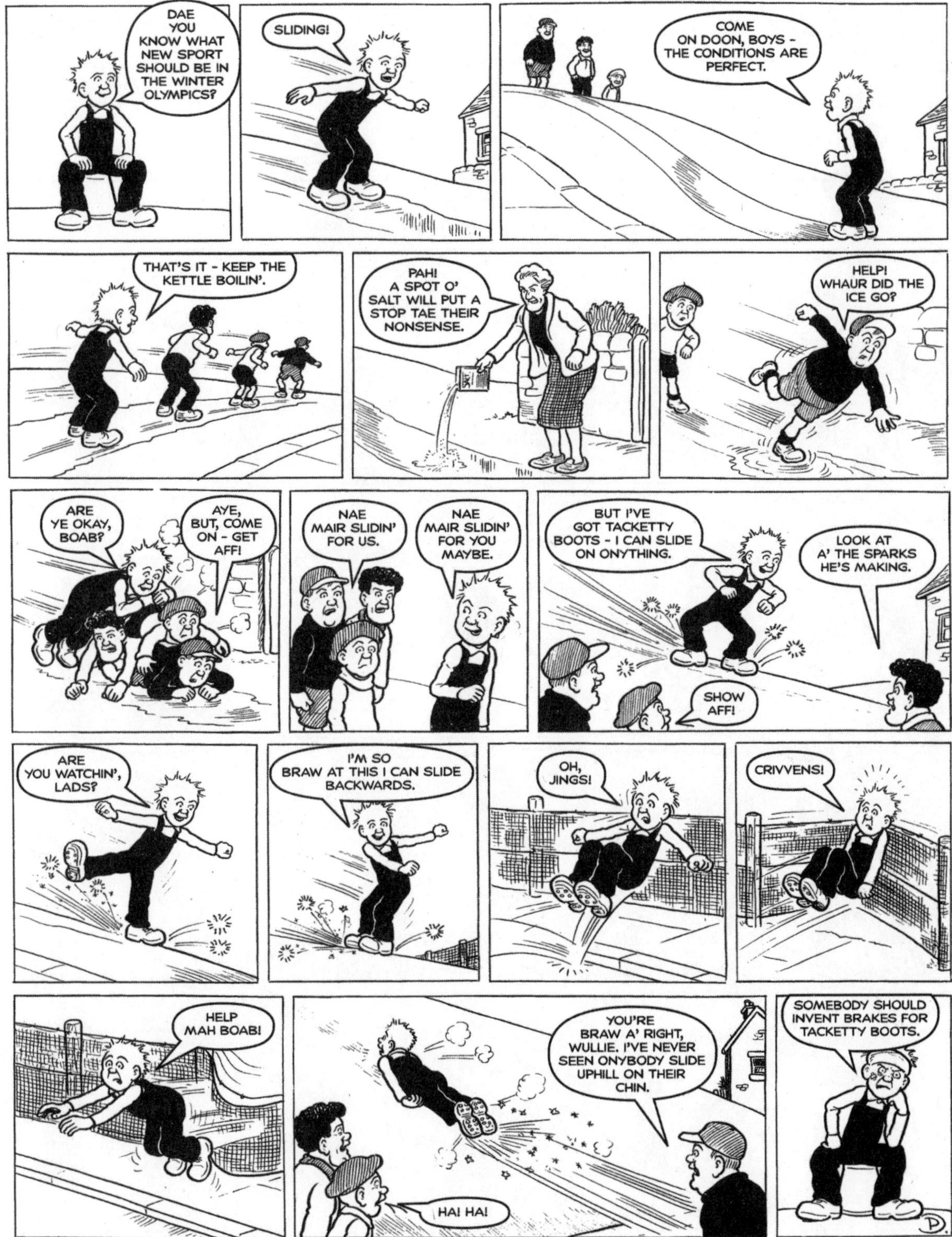
DAE YOU KNOW WHAT NEW SPORT SHOULD BE IN THE WINTER OLYMPICS?
SLIDING!
COME ON DOON, BOYS - THE CONDITIONS ARE PERFECT.
THAT'S IT - KEEP THE KETTLE BOILIN'.
PAH! A SPOT O' SALT WILL PUT A STOP TAE THEIR NONSENSE.
HELP! WHAUR DID THE ICE GO?
ARE YE OKAY, BOAB?
AYE, BUT, COME ON - GET AFF!
NAE MAIR SLIDIN' FOR US.
NAE MAIR SLIDIN' FOR YOU MAYBE.
BUT I'VE GOT TACKETTY BOOTS - I CAN SLIDE ON ONYTHING.
LOOK AT A' THE SPARKS HE'S MAKING.
SHOW AFF!
ARE YOU WATCHIN', LADS?
I'M SO BRAW AT THIS I CAN SLIDE BACKWARDS.
OH, JINGS!
CRIVVENS!
HELP MAH BOAB!
YOU'RE BRAW A' RIGHT, WULLIE. I'VE NEVER SEEN ONYBODY SLIDE UPHILL ON THEIR CHIN.
HA! HA!
SOMEBODY SHOULD INVENT BRAKES FOR TACKETTY BOOTS.

HE DISNA REALLY STRIKE MUCH FEAR,
OOR WULLIE, THE BOAT-LESS BUCCANEER.

WULLIE GOT A BOOK ABOOT PIRATES AT CHRISTMAS.
PIRATES
AND THAT'S WHAT I'M GOING TAE BE. AHAR!
I'M OWER WEE TAE BE LONG JOHN SILVER BUT I'M NO' SHORT O' THE PATTER.
SHIVER ME TIMBERS AND SWAB THE DECKS, YE MUTINOUS TARS!
INSTEAD OF A PARROT I'VE GOT JEEMY THE MOOSE ON MY SHOULDER.
PIECES O' CHEESE! PIECES O' CHEESE!
CALL ME CAPTAIN JACK SPEUG, THE BLACKEST HEARTED PIRATE THIS SIDE O' THE STOORIE BURN.
I'LL BETTER MAKE A PHONE CALL AND GET ME A CREW.
AND-
WELCOME ABOARD, ME HEARTIES.
WHAUR'S THE TREASURE?
YOU DINNA LOOK VERY TOUGH WI' JUST ANE EYE AND A BAD LEG.
SILENCE, YE BILGE RAT! FOR THAT YE WALK THE PLANK.
WHAT IF I SAY SORRY?
HMMPH! WALKING THE PLANK IS NO' VERY DANGEROUS WHEN YE DINNA HAE A BOAT.
AYE, AND WITHOOT A BOAT HOW ARE WE GOING TAE FIND TREASURE?
I KNOW OF AN OLD SEA DOG WHO WILL TELL US WHERE TAE LOOK.
JOCK, THE RETIRED LIGHTHOOSE KEEPER.
TREASURE YE WANT? WELL, YE'VE COME TAE THE RIGHT MAN.
THERE WAS A MAP O' THIS GARDEN ON THE COTTAGE WALL AND AN 'X' MARKED WHAUR THE TREASURE WAS. BUT MRS JOCK PAPERED OWER IT.
WE'VE BEEN DIGGING A' AFTERNOON AND HAVENAE FOUND EVEN ONE DOUBLOON.
NEVER MIND, LADS. I'LL BE ABLE TAE PLANT TATTIES NOW YE'VE TURNED MY GARDEN OWER.
HE'S MADE MUGS O' US.
IF YOU'RE NO' GOING TAE KEEL HAUL HIM WE'RE GOING HAME.
THIS IS MUTINY!
JOCK'S MAYBE A CHANCER BUT HE GAVE ME THIS BRAW MODEL GALLEON.

WHO IS GOING TO PAY FOR THE TREAT ON MOTHER'S DAY?

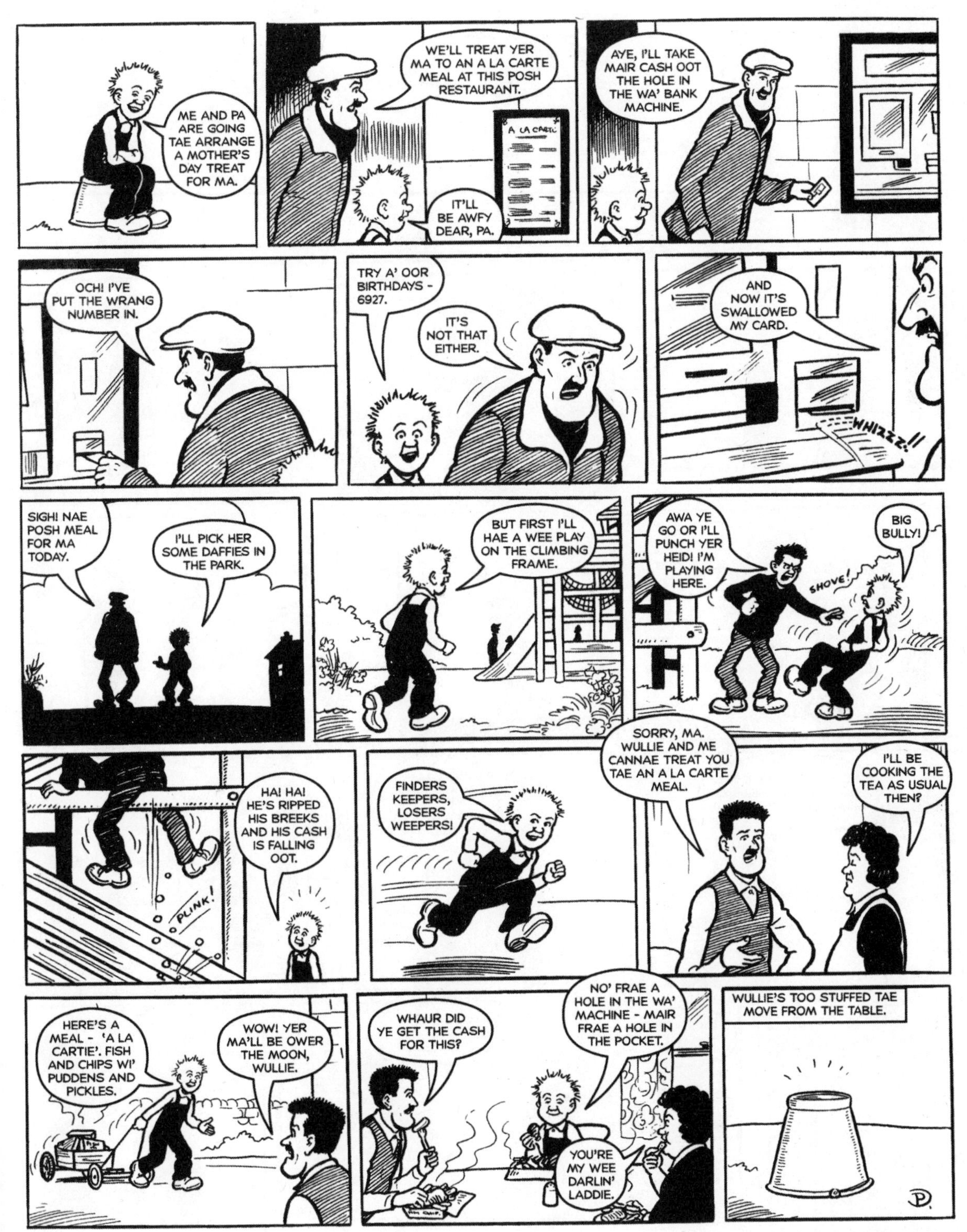

ME AND PA ARE GOING TAE ARRANGE A MOTHER'S DAY TREAT FOR MA.
WE'LL TREAT YER MA TO AN A LA CARTE MEAL AT THIS POSH RESTAURANT.
IT'LL BE AWFY DEAR, PA.
AYE, I'LL TAKE MAIR CASH OOT THE HOLE IN THE WA' BANK MACHINE.
OCH! I'VE PUT THE WRANG NUMBER IN.
TRY A' OOR BIRTHDAYS - 6927.
IT'S NOT THAT EITHER.
AND NOW IT'S SWALLOWED MY CARD.
WHIZZZ!!
SIGH! NAE POSH MEAL FOR MA TODAY.
I'LL PICK HER SOME DAFFIES IN THE PARK.
BUT FIRST I'LL HAE A WEE PLAY ON THE CLIMBING FRAME.
AWA YE GO OR I'LL PUNCH YER HEID! I'M PLAYING HERE.
SHOVE!
BIG BULLY!
HA! HA! HE'S RIPPED HIS BREEKS AND HIS CASH IS FALLING OOT.
PLINK!
FINDERS KEEPERS, LOSERS WEEPERS!
SORRY, MA. WULLIE AND ME CANNAE TREAT YOU TAE AN A LA CARTE MEAL.
I'LL BE COOKING THE TEA AS USUAL THEN?
HERE'S A MEAL - 'A LA CARTIE'. FISH AND CHIPS WI' PUDDENS AND PICKLES.
WOW! YER MA'LL BE OWER THE MOON, WULLIE.
WHAUR DID YE GET THE CASH FOR THIS?
NO' FRAE A HOLE IN THE WA' MACHINE - MAIR FRAE A HOLE IN THE POCKET.
YOU'RE MY WEE DARLIN' LADDIE.
WULLIE'S TOO STUFFED TAE MOVE FROM THE TABLE.

WULLIE'S MOTHER'S DAY SURPRISE
MIGHT WELL BE SERVED WI' FRIES.

I'M AYE SKINT.
AND I'M NEEDING TAE BUY A MOTHER'S DAY PRESENT.
I'LL HAVE TAE MAKE DO WI' WHAT'S IN MY POCKET.
TEN PENCE, TWA BOOLS AND AN AULD PENKNIFE. THAT'S NO' VERY MUCH.
WHAT CAN I BUY FOR TEN PENCE, MISTER?
EASY, WULLIE - NOTHING!
WHAT ABOOT THIS PENCIL IN YER TRAY? IT'S GOT A BROKEN POINT.
SIGH! OKAY, OKAY - YE CAN HAVE IT FOR TEN PENCE.
NOW I SHARPEN IT WI' MY WEE PENKNIFE AND I'M READY.
I'M GOING TAE WRITE MA A VERSE FOR MOTHER'S DAY.
PRIMROSE WILL HELP ME.
HOW ABOUT THIS, WILLIAM?
'UNDERNEATH THE HEAVENS ABOVE,
IT'S ONLY PRIMROSE AND MY MA I LOVE.'
DINNA BE DAFT, MA'LL KEN I DIDNAE WRITE SOPPY STUFF LIKE THAT.
FROM ME TO YOU HERE'S MOTHER'S DAY WISHES, RELAX AND MAKE FATHER DO THE DISHES.
NAW, PA'LL GO NUTS.
YOUR HAME COOKIN' MAKES ME ROAR, LIKE A HUNGRY DINOSAUR.
THAT'S HOPELESS.
I'LL BUY YOUR POEM, WULLIE. IT'LL BE A BRAW SLOGAN FOR MY DINOBURGER TAKEAWAY.
HMM! I'LL DAE A DEAL WITH YE.
SSH! QUIETLY DOES IT.
SURPRISE! BREAKFAST IN BED, MA!
GRRROWL! ENJOY THE BIG TASTE OF DINOBURGERS!
WULLIE!
YE CANNA PLEASE SOME FOWK. I THOUGHT BURGERS IN BED WID BE BRAW.
MEN!

THE FUN NEVER CEASES -
WHEN YOU'VE A PAL THAT FALLS TO PIECES.

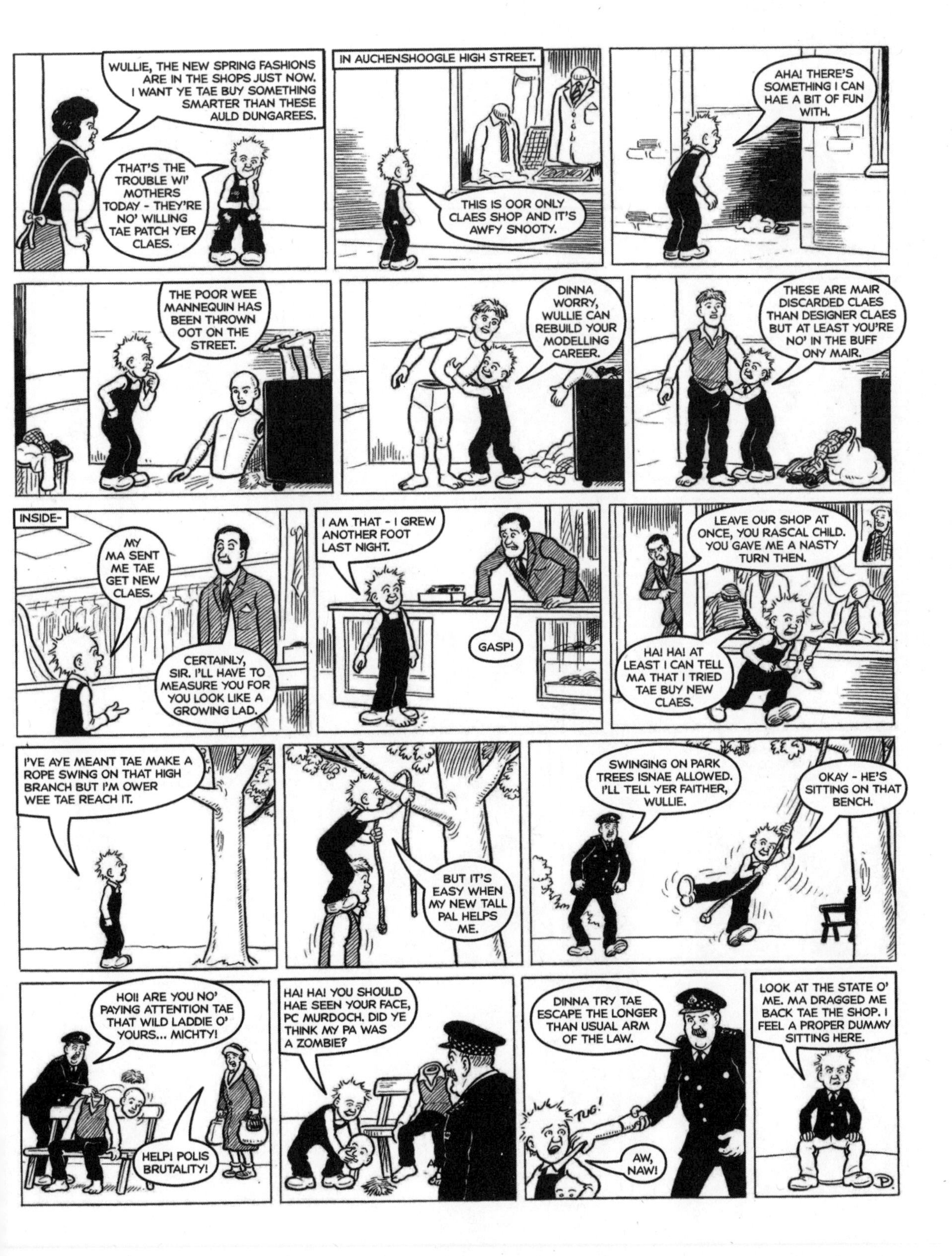
WULLIE, THE NEW SPRING FASHIONS ARE IN THE SHOPS JUST NOW. I WANT YE TAE BUY SOMETHING SMARTER THAN THESE AULD DUNGAREES.
THAT'S THE TROUBLE WI' MOTHERS TODAY - THEY'RE NO' WILLING TAE PATCH YER CLAES.
IN AUCHENSHOOGLE HIGH STREET.
THIS IS OOR ONLY CLAES SHOP AND IT'S AWFY SNOOTY.
AHA! THERE'S SOMETHING I CAN HAE A BIT OF FUN WITH.
THE POOR WEE MANNEQUIN HAS BEEN THROWN OOT ON THE STREET.
DINNA WORRY, WULLIE CAN REBUILD YOUR MODELLING CAREER.
THESE ARE MAIR DISCARDED CLAES THAN DESIGNER CLAES BUT AT LEAST YOU'RE NO' IN THE BUFF ONY MAIR.
INSIDE-
MY MA SENT ME TAE GET NEW CLAES.
CERTAINLY, SIR. I'LL HAVE TO MEASURE YOU FOR YOU LOOK LIKE A GROWING LAD.
I AM THAT - I GREW ANOTHER FOOT LAST NIGHT.
GASP!
LEAVE OUR SHOP AT ONCE, YOU RASCAL CHILD. YOU GAVE ME A NASTY TURN THEN.
HA! HA! AT LEAST I CAN TELL MA THAT I TRIED TAE BUY NEW CLAES.
I'VE AYE MEANT TAE MAKE A ROPE SWING ON THAT HIGH BRANCH BUT I'M OWER WEE TAE REACH IT.
BUT IT'S EASY WHEN MY NEW TALL PAL HELPS ME.
SWINGING ON PARK TREES ISNAE ALLOWED. I'LL TELL YER FAITHER, WULLIE.
OKAY - HE'S SITTING ON THAT BENCH.
HOI! ARE YOU NO' PAYING ATTENTION TAE THAT WILD LADDIE O' YOURS... MICHTY!
HELP! POLIS BRUTALITY!
HA! HA! YOU SHOULD HAE SEEN YOUR FACE, PC MURDOCH. DID YE THINK MY PA WAS A ZOMBIE?
DINNA TRY TAE ESCAPE THE LONGER THAN USUAL ARM OF THE LAW.
TUG!
AW, NAW!
LOOK AT THE STATE O' ME. MA DRAGGED ME BACK TAE THE SHOP. I FEEL A PROPER DUMMY SITTING HERE.

WULL HAS A SEAT THAT HE CAN TRUST -
HIS WEE AULD BUCKET COVERED IN RUST.

IT'S GRAND TAE HAE A SEAT.
MOVE OWER! I'VE A NEW BUCKET TAE SIT ON NOW.
YOU'RE A COPYCAT, BOAB.
THAT'S NO' A REAL BUCKET. IT'S PLASTIC.
IT'S TEN TIMES BETTER THAN YOUR ROOSTY AULD ANTIQUE.
LET'S SEE WHA'S BUCKET IS THE BEST DRUM?
IS IT A BUCKET COMPETITION YE WANT?
WHAT A RACKET YE'RE MAKING.
AYE, I WIN! MINE IS THE LOUDEST.
LET'S SEE WHA CAN CARRY A BUCKET O' WATER TAE STOORIE STREET WITHOOT SPILLING ONY.
AW, MY BUCKET IS HEAVY ALREADY.
HA! HA! LOOK AT YE!
MY BUCKET IS SO HEAVY I NEED TWA HANDS TAE CARRY IT.
I WIN, YOU SKELT HALF YOUR WATER.
THAT'S ONE EACH NOW.
FOR OOR DECIDER WE'LL SEE WHICH BUCKET CAN MAKE A CUP O' TEA.
HERE'S SOME TEABAGS FOR YER BUCKET, WULLIE.
I'VE GOT TONS MAIR WATER THAN YOU.
YOU HAVE TAE - IN YER WEE PLASTIC BUCKET.
JINGS! IT'S MELTING.
A' THE WATER'S COME OOT!
YE WEE SCUNNERS! YOU'VE PUT OOR BRAZIER OOT!
MAH WEE WINNER! THEY DINNA MAK' BUCKETS LIKE YOU ANYMORE.
PAT!

WULLIE AND HIS PALS GET AN AWFY FRIGHT AT MYSTERIOUS SQUEAKS IN THE NIGHT.

OOYAH!
I TRIPPED OWER MY BUCKET IN THE DARK.
THE CLOCKS HAE CHANGED SO IT'S DARK EARLY NOW, WULLIE.
I'M AWA TAE WATCH A DVD AT FAT BOAB'S HOOSE.
WE'VE TAE WATCH IT AFORE HIS MA COMES HAME BECAUSE SHE'LL NO' LET US SEE IT.
JINGS! IT'S AWFY SCARY.
I THINK I HEAR BOAB'S MA COMING HAME. LET'S PUT IT AFF.
HOW WOULD YOU KEN? YOU'VE GOT YER EYES SHUT.
THAT WAS NOTHING TAE BE FEART ABOOT. I'M NOT FEART O' ANYTHING.
I DARE YOU TAE WALK THROUGH THE GRAVEYARD THEN.
NAE PROBLEM.
IF YOU TWA COME WITH ME.
AT THE GARDENER'S HUT-
TAKING THE FIRM'S VEHICLE HAME TONIGHT, TAM?
I AM. THE BARRA WHEEL IS SQUEAKING SO I'M GOING TAE OIL IT.
SQUEAK!
IS THAT A SQUIRREL?
OR A VAMPIRE BAT?
SQUEAK!!
IT'S COMING THIS WAY.
HELP MAH BOAB! RUN FOR IT!
I WONDER WHAT'S UP WITH THESE LADDIES? I'VE NEVER SEEN THEM MOVE SAE FAST.
SEE YOU LATER, WULLIE.
I'M GOING HAME TOO.
HOWL! MY BUCKET'S HAUNTED NOW.
YE SILLY TATTIE! PA'S PAINTED IT WITH FLUORESCENT PAINT SO YE DINNA TRIP OVER IT IN THE DARK AGAIN.
ROLL ON SUMMER! I DINNA LIKE THE DARK NIGHTS.

EVERYONE THAT PASSES
HAS TAE MENTION WULLIE'S GLASSES.

WULLIE'S OUT...
DAE YE NOTICE SOMETHING DIFFERENT ABOOT ME?
OH, YES. YOU'RE WEARING SPECTACLES, WILLIAM. YOU LOOK EVER SO INTELLECTUAL.
WHIT DOES THAT MEAN?
DAE YE THINK I'LL NO' HIT YE BECAUSE YE'RE WEARING GLASSES, WULLIE?
HUH! GINGER TAIT FRAE GASWORKS STREET.
HUH! I'LL TAKE THEM AFF TAE BELT YE.
NAW, WHOA!
MY MAW SAYS I'M NOT TAE GET ONY BLACK EYES OR THICK EARS.
SO I'M SAFE TAE WEAR THE SPECS.
THEN-
DID YE NO' SEE THAT FOUL REF? GET YOUR EYES TESTED!
YOU'RE THE ONE WEARING SPECS! I'M GIVING YE A RED CARD FOR CHEEK!
WHIT?
HE SENT ME AFF BUT I'M NO' EVEN ON!
HIYA, WULLIE.
HIYA, SOAPY.
HE'S NO' STOPPING TAE SPEAK TO ME.
DAE YE THINK YE'RE OWER POSH NOW THAT YOU'VE GOT GLASSES?
OUCH!
MICHTY! WULLIE'S WALKED RIGHT INTAE THON LAMPPOST.
YOUR GLASSES ARE NO' WORKING VERY WELL, WULLIE.
THAT'S BECAUSE THEY'RE NO' MINE. MY EYESIGHT IS PERFECT.
I DINNA UNDERSTAND. WHY?
SO A'BODY COULD GET THEIR WISECRACKS IN BEFORE THEIR REAL OWNER STARTS WEARING THEM.
BOAB?
AYE, ME. AND I'M A VERY SENSITIVE LADDIE.
THE THINGS YE DAE FOR YER PALS!

WULLIE FIRED AN ARROW INTO THE AIR - IT NEARLY PARTED MURDOCH'S HAIR.

UNCLE TAM HAS SENT ME A PRESENT FOR EASTER.
BRAW! UNCLE TAM ISNAE ANE O' THEY PEOPLE THAT THINK LADDIES SHOULDNAE HAE BOWS AND ARROWS AND SUCHLIKE.
TWANG!
ANYWAY, IT'S NO' AS THOUGH I'M GOING TAE SHOOT ONYBODY.
JINGS! I'VE HIT PC MURDOCH! I'LL GET THE JILE FOR THIS.
I'LL HIDE IN THE CROWD WATCHING THE EASTER BONNET PARADE.
WAIT A MINUTE - PC MURDOCH DISNAE KEN THE ARROW'S THERE.
BUT-
THE WINNER OF OUR NOVELTY EASTER BONNET IS OUR VERY OWN PC MURDOCH!
EH? WHAT'S THAT YE SAY?
GULP!
WULLIE!
THERE GOES THE GUILTY PARTY! I KEN WHAUR HE'LL BE PLANNING TAE HIDE THOUGH.
WELL, WELL, IF IT ISN'T AUCHENSHOOGLE'S AIN ROBIN HOOD.
I'M AWFY SORRY FOR MAKING YER POLIS BUNNET A KEBAB. ARE YE GOING TAE JILE ME?
NAW, WULLIE - I'M GOING TAE SHARE THE PRIZE MY POLIS HAT WON WITH YE.
CRIVVENS! AN' IT'S A WHOPPER O' AN EASTER EGG.
WHIT RARE CHOCOLATE.
IT'LL GIE ME ENERGY TAE GET BACK ON THE BEAT.
PC MURDOCH IS A GUID EGG REALLY.

OOR WULLIE'S NAME IS MUD
WHEN HIS PLUMBING STARTS A FLOOD.
PRIMROSE IS COMING TAE SHOW ME SOMETHING.
I'VE GOT A NEW MOVIE TO WATCH ON MY NEW 3D TELLY.
WOW! TSUNAMI OF TERROR - IT'S JUST RELEASED TODAY.
CAN I WATCH IT WI' YE?
MUMMY WON'T HAVE YOU IN OUR HOUSE. SHE SAYS YOU ARE A BAD INFLUENCE.
MAYBE I COULD DISGUISE YOU AND SNEAK YOU IN.
KEEP THAT BONNET ON TO HIDE YOUR SPIKY HAIR.
AYE, RIGHT.
CRIVVENS! THAT WATER LOOKS AWFY REAL.
IT'S MY 3D TELEVISION, WILLIAM.
A' THAT WATER HAS MADE ME NEED THE TOILET.
BOYS!
I SAW MR JONES GO SO I TAKE IT YOU ARE HIS APPRENTICE.
GULP! PRIMROSE'S MAW THINKS I'M A PLUMBER.
STOP THAT TAP DRIPPING. I CAN'T SLEEP FOR IT AT NIGHT.
RICHT AWA, MISSUS.
DEEP VOICE
I'VE SEEN MY PA DAE THIS.
JINGS! THAT WISNAE MEANT TAE HAPPEN.
WOOOSH!
I CANNA STOP IT!
WILLIAM!
WOOOSH!
THIS WATER IS MAIR REAL THAN YOUR 3D TELLY.
GOOD GRIEF! IT'S THAT AWFUL OOR WULLIE BOY.
YOUR TAP IS NO' DRIPPIN' NOW, MISSUS.
WULLIE'S AWA WITH HIS BUCKET TAE BALE OOT PRIMROSE'S HOOSE.

WULLIE HEARS A TRAIN COMING IN SLOW - TO A STATION THAT CLOSED LONG AGO.

ME AND THE LADS ARE GOING FOR A WANDER ABOOT THE COUNTRYSIDE.
YOU LEAD THE WAY, WULLIE.
SOON-
LOOK AT THIS - AUCHENSHOOGLE MUST HAE HAD A RAILWAY STATION AT ONE TIME.
AUCHENSHOOGLE STATION. CLOSED.
LOOKS A BRAW AULD PLACE TAE EXPLORE.
THEY DOOS MUST HAE MISSED THE LAST TRAIN.
MAYBE THEY'RE RACING PIGEONS THAT TRIED TAE CHEAT.
THERE'S BRAW AULD RAILWAY STUFF LEFT HERE.
MAIR GUID GEAR UNDER HERE, WULLIE.
ALL BOARD! NEXT STOP GLEBE STREET!
HA! HA! DINNAE GET IDEAS ABOVE YER STATION, WULLIE.
YE'LL NEED TICKETS IF YOU'RE GETTING ON MAH TRAIN.
FIRST CLASS SEAT NEXT TAE THE BUFFET CAR, PLEASE.
YOU'LL ONLY BE A HALF FARE, ECK.
THAT'S 'WEE' DISCRIMINATION! I'LL REPORT YE TAE THE RAILWAY POLIS.
THE BUFFET IS NOW OPEN FOR LIGHT SNACKS AND DRINKS.
ABOOT TIME! RAILWAY TRAVEL AYE MAKES ME HUNGRY.
JINGS! I FORGOT I ATE A' MY PIECES ON THE WAY HERE.
THE BUFFET CAR IS NOW CLOSED, SIR.
WHIT? HAS NAEBODY GOT AN AULD CURLY SARNIE THEY DINNA WANT?
STAY ON THE PLATFORM, SIR. THE SLEEPER TAE PENZANCE IS DUE SHORTLY.
AUCHEN
YOU'RE GETTING CARRIED AWA, WULLIE.
I'LL CHANGE THE POINTS FOR THE TRAIN COMIN' IN.
IT'LL HAVE TAE BE A GHOST TRAIN SINCE THERE'S NAE RAILWAY LINES.
HELP MAH BOAB! IF I DIDNAE HAVE A HAT ON MY HAIR WID BE STANDING ON END.
MOAN!
IT'S A GHOST TRAIN RICHT ENOUGH. IT'LL TAKE US DOON BELOW.
OR WORSE - INTAE EDINBURGH WAVERLEY.
YAWN! I CANNAE GET MY BEAUTY SLEEP FOR YOU ANES DISTURBING ME. KEEP THE NOISE DOON!
IT IS A SLEEPER RICHT ENOUGH! AULD TAM THE TRAMP FRAE LINCARTY.
WULLIE'S RUNNING LATE DUE TO LEAVES ON THE LINE.
P.

IT IS REALLY A HOOT,
WULLIE'S PLAN TAE GET THE FRUIT.

I LOVE THE BERRY SEASON.
HAVE YOU MANAGED TAE KEEP OOR WULLIE AWAY FRAE YOUR RASPS, ANDRA?
MY EYESIGHT IS NO' THE BEST SO I'M GOING TAE GET A BIG DOG TAE GUARD THEM.
SO FARMER EASTON THINKS A DOG WILL KEEP ME AWAY. SOME HOPE.
BOAB, ARE YOU WANTING TAE COME ON A RASP RAID WITH ME?
I CANNAE - I'VE TAE WEAR THIS DOG COSTUME AT MY WEE COUSIN'S PARTY.
A DOG COSTUME IS JUST WHAT WE NEED.
THIS IS MY LUCKY DAY - I'M WANTING A BIG DOG.
RASP DOG FREE TO GOOD HOME
DINNA LET ANYBODY NEAR MY RASPS - ESPECIALLY A SPIKY-HAIRED LADDIE IN. DUNGAREES.
WE'RE IN, BOAB.
SILLY AULD FARMER.
I'D BETTER FEED MY NEW DOG.
NAE NEED - HE'S STUFFING HIMSELF WI' YOUR RASPS.
THE WEE DEVILS HAE TRICKED ME.
BRAW RASPS.
GET AWA OR I'LL HAE THE POLIS ON YE.
I'VE EATEN TOO MANY RASPS TAE RUN.
COME TAE MY WEE COUSIN'S PARTY, WULLIE. WE'LL GET ICE CREAM TAE GO WITH THE RASPS IN OOR TUMMIES.
THAT'D BE RARE, BOAB.
OH, JINGS!
BOO-HOO! IT'S A WEREWOLF ALL COVERED IN BLOOD.
YOU SHOULD BE ASHAMED SCARING THE KIDDIES LIKE THAT. I'LL TELL YER FATHER, BOAB.
IT'S ONLY RASP JUICE.
BOAB'S IN THE DOGHOUSE AND I'LL BET THE FARMER IS ON HIS WAY TAE SEE MY PA.

WULLIE KENS A FUN AULD WAY
TAE GET THE CAPTAIN BACK IN PLAY.

WHIT BRAW! I'M GOING TAE SEE SCOTLAND PLAY IN THE RUGBY SEVENS AT SCOTSTOUN.
AND MY BUCKET IS GOING TAE. IT'S THE ONLY SEAT I FIND COMFY.
SCOTT WIGHT OOR CAPTAIN IS A BRAW TOUGH LOOKING FELLA.
GASP! I DON'T BELIEVE MY EYES! I'VE ALWAYS DREAMED ABOUT MEETING OOR WULLIE.
CRIVVENS! SCOTT'S DOON AND WE'VE NO' KICKED OFF YET.
FAINT!
I'VE GOT MY TRUSTY BUCKET AND THERE'S PLENTY SPARE DRINKING WATER LYING ABOOT.
THIS IS HOW YE SORTED A' THING IN THE AULD DAYS.
THE 'MAGIC SPONGE', IT'S CALLED - AND IT REALLY IS CAULD!
NOW DINNA BE A BABY!
WAAAH!
SPLOSH!
OOR WULLIE'S GOT ME DROOKIT BUT HEY, HE'S MY HERO.
FIY
I'M GETTING TAE LEAD THE SCOTLAND TEAM OOT AS ANE O' THE MASCOTS. WHIT AN HONOUR!
WULLIE'S AWA TAE BED, DREAMING ABOOT IT YET.
GILBERT

WULLIE'S UP TO HIS USUAL ANTICS,
UNTIL HE JOINS THE YOUNG ROMANTICS.

WULLIE'S AT SCHOOL.
WE'RE GOING TO PUT ON A DANCE DISPLAY AT THE SCHOOL CONCERT SO TODAY WE WILL REHEARSE.
I'LL DAE A SWORD DANCE, MISS.
NO, YOU'LL TURN IT INTO A SWORD FIGHT.
TAKE PARTNERS AND WE'LL START WITH A DASHING WHITE SERGEANT.
WILLIAM, YOU WILL PARTNER ME.
NAW, I MICHT WANT TAE DANCE WI' ANGELA.
RASP!
HOWL! YOU'VE STOOD ON MY TOE! IT'S BROKEN!
I'LL TELL MY BIG SISTER AND SHE'LL BELT YE EFTER SCHOOL.
AW, JINGS!
HOP!
HER BIG SISTER IS CAPTAIN O' THE RUGBY TEAM.
THE BOYS RUGBY TEAM.
AFTER SCHOOL.
IT'S POURING. MAYBE SHE'LL NO' COME OOT IN THE RAIN.
SO YE SQUASHED MY SISTER'S TAES?
H-HELLO, BERTHA - I DIDNAE SEE YE THERE.
WHACK!
CRIVVENS!
PUT MY WILLIAM DOWN AND GET LOST, WOMAN!
YE SAVED ME, PRIMROSE.
YOU'LL HAVE TO DO SOMETHING VERY ROMANTIC TO MAKE UP, WILLIAM.
BOAB, HAUD THE BROLLY.
AYE-AYE, SIR.
OH, WILLIAM - THIS IS JUST LIKE IN THE FAMOUS PAINTING.
I'M THE SINGING BUTLER.
THE YOUNG ROMANTICS ARE A' AWA HAME DROOKIT.

AUCHENSHOOGLE HAS A NEW MENACE AND THIS ANE IS RICHT BRAW AT TENNIS.

WULLIE IS PRACTISING HIS SERVE.
CLUNK!
OCH! MISSED!
THAT'S RUBBISH, WULLIE!
OOR WULLIE CAN EXCLUSIVELY REVEAL ANDY MURRAY'S HOLIDAY DESTINATION - AUCHENSHOOGLE!
THINK YOU COULD DAE BETTER?
IMAGINE A CIRCLE ABOVE YOUR HEAD, SLIGHTLY FORWARD AND TO THE RIGHT. THROW THE BALL UP THROUGH THE CIRCLE.
JINGS! I'M GETTING A' THE PROFESSIONAL SECRETS.
AND THEN BLOOTER IT!
PC MURDOCH IS ON PATROL.
THUD!
WHIT IN THE NAME...?
I'M ARRESTING YOU, WULLIE. DAMAGING MY OFFICIAL POLIS PROPERTY BUNNET!
IT WAS ME, PC MURDOCH.
IN THAT CASE, I'M ORDERING YOU TAE...
...JOIN ME IN A SELFIE!
WHIT A GUID DAY. A LESSON FRAE ANDY MURRAY AND A BRAW PICTURE!

TO MAKE THE PERFECT PIECE WI' JEELY,
LAY ON YOUR INGREDIENTS FREELY.

I'M ENTERING A COMPETITION.
GREAT BRITISH JEELY PIECE AFF. AUCHENSHOOGLE HALL 2PM.
A COMPETITION TAE MAKE THE BEST JEELY PIECE.
MY ENTRY IS A RECIPE FROM DELIA. USING LEMON AND LIME PRESERVE.
DELIA? WHIT DOES THE CELTIC MANAGER KEN ABOOT JEELY?
I'VE A TEN JEELY CLUB SANDWICH. CHEF TONY SINGH TELT ME HOW TAE MAKE IT.
JINGS! A'BODY IS TAKIN' JEELY PIECES AWFY SERIOUSLY.
I'LL NEED TAE GET ADVICE ON JEELY PIECING FRAE AN EXPERT.
WHAT'S THE BEST JEELY PIECE, BOAB?
DINNAE TALK TAE ME, WULLIE. I'M THE COMPETITION JUDGE AND THAT WID BE CHEATING.
I'LL ASK JOCK THE BUILDER ABOOT PIECES. HE'LL TAKE THEM TAE WORK EVERY DAY.
I'VE NO' EATEN JEELY PIECES FOR YEARS, WULLIE. IT'S CURRY POT NOODLE FOR ME.
OCH! THAT'S NAE HELP.
TELL YE WHAT THOUGH, CAN I BORROW A COUPLE OF YOUR TOOLS?
AYE, HELP YERSELF, WULLIE.
AT THE COMPETITION-
PIECERS, YOU HAVE TEN MINUTES TO MAKE YOUR JEELY PIECE.
IT'S HEALTHIER TO PAINT BUTTER SPREAD ON.
I'VE GOT ALL MY LAYERS EXACTLY EVEN.
I'M SPREADING THE JEELY ON WI' A TROWEL.
PLOP!
THERE'S ONE CLEAR WINNER.
DISGUSTING BOY!
AYE, MY PAL BOAB LIKES PLENTY JEELY.

THE SUCCESS OF SCRUMPING A TASTY PLUM
IS DOWN TO BOAB AND HIS FLYING BUM.

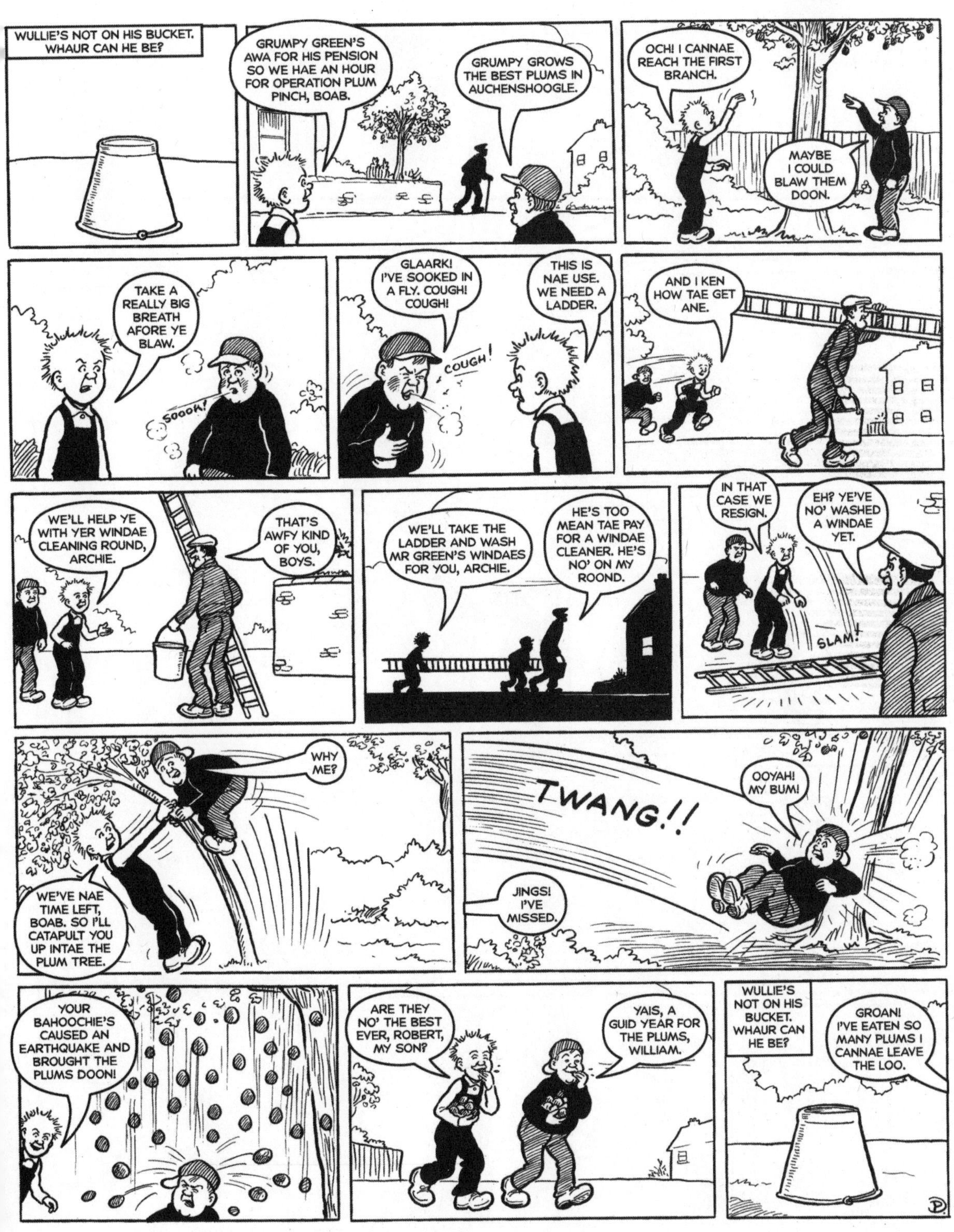

WULLIE'S NOT ON HIS BUCKET. WHAUR CAN HE BE?
GRUMPY GREEN'S AWA FOR HIS PENSION SO WE HAE AN HOUR FOR OPERATION PLUM PINCH, BOAB.
GRUMPY GROWS THE BEST PLUMS IN AUCHENSHOOGLE.
OCH! I CANNAE REACH THE FIRST BRANCH.
MAYBE I COULD BLAW THEM DOON.
TAKE A REALLY BIG BREATH AFORE YE BLAW.
SOOOK!
GLAARK! I'VE SOOKED IN A FLY. COUGH! COUGH!
COUGH!
THIS IS NAE USE. WE NEED A LADDER.
AND I KEN HOW TAE GET ANE.
WE'LL HELP YE WITH YER WINDAE CLEANING ROUND, ARCHIE.
THAT'S AWFY KIND OF YOU, BOYS.
WE'LL TAKE THE LADDER AND WASH MR GREEN'S WINDAES FOR YOU, ARCHIE.
HE'S TOO MEAN TAE PAY FOR A WINDAE CLEANER. HE'S NO' ON MY ROOND.
IN THAT CASE WE RESIGN.
EH? YE'VE NO' WASHED A WINDAE YET.
SLAM!
WHY ME?
WE'VE NAE TIME LEFT, BOAB. SO I'LL CATAPULT YOU UP INTAE THE PLUM TREE.
TWANG!!
OOYAH! MY BUM!
JINGS! I'VE MISSED.
YOUR BAHOOCHIE'S CAUSED AN EARTHQUAKE AND BROUGHT THE PLUMS DOON!
ARE THEY NO' THE BEST EVER, ROBERT, MY SON?
YAIS, A GUID YEAR FOR THE PLUMS, WILLIAM.
WULLIE'S NOT ON HIS BUCKET. WHAUR CAN HE BE?
GROAN! I'VE EATEN SO MANY PLUMS I CANNAE LEAVE THE LOO.

LOOK AT OOR WULLIE ON THE HOP – HE'S HEADING FOR THE COBBLER'S SHOP.

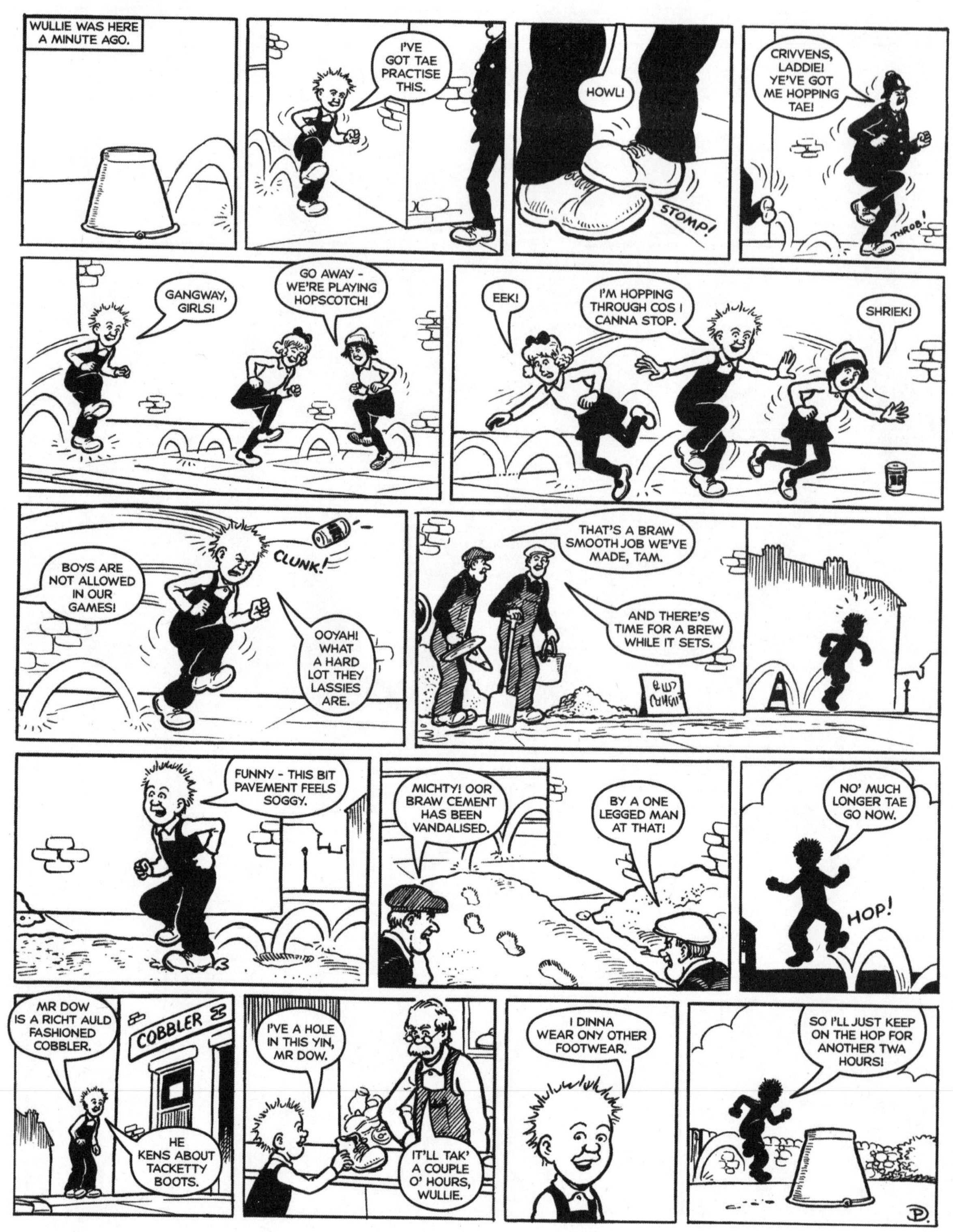
WULLIE WAS HERE A MINUTE AGO.
I'VE GOT TAE PRACTISE THIS.
HOWL!
STOMP!
CRIVVENS, LADDIE! YE'VE GOT ME HOPPING TAE!
THROB!
GANGWAY, GIRLS!
GO AWAY - WE'RE PLAYING HOPSCOTCH!
EEK!
I'M HOPPING THROUGH COS I CANNA STOP.
SHRIEK!
CLUNK!
BOYS ARE NOT ALLOWED IN OUR GAMES!
OOYAH! WHAT A HARD LOT THEY LASSIES ARE.
THAT'S A BRAW SMOOTH JOB WE'VE MADE, TAM.
AND THERE'S TIME FOR A BREW WHILE IT SETS.
FUNNY - THIS BIT PAVEMENT FEELS SOGGY.
MICHTY! OOR BRAW CEMENT HAS BEEN VANDALISED.
BY A ONE LEGGED MAN AT THAT!
NO' MUCH LONGER TAE GO NOW.
HOP!
MR DOW IS A RICHT AULD FASHIONED COBBLER.
COBBLER
HE KENS ABOUT TACKETTY BOOTS.
I'VE A HOLE IN THIS YIN, MR DOW.
IT'LL TAK' A COUPLE O' HOURS, WULLIE.
I DINNA WEAR ONY OTHER FOOTWEAR.
SO I'LL JUST KEEP ON THE HOP FOR ANOTHER TWA HOURS!

WULLIE HAS A BONNIE PARTNER IN CRIME
BUT HE'S NO' HAVING A HAPPY TIME.

I'VE BEEN IN TROUBLE SO THIS WEE EGG IS A' I'M GETTING FOR EASTER.
DO YOU LIKE MY COSTUME FOR THE EASTER PARADE, WILLIAM? I THINK THE HAT MAKES ME LOOK LIKE A GANGSTER'S MOLL.
WID YE LIKE TAE BE A GANGSTER, PRIMROSE?
YOU AND ME COULD BE GANGSTERS LIKE BONNIE AND CLYDE.
OH YES, WILLIAM. THAT WOULD BE SO ROMANTIC.
SHORTLY-
WHAUR'S WULLIE? HE SAID TAE MEET HIM HERE AND BRING OOR EASTER EGGS.
WE'RE GOING TAE HAE AN EASTER EGG HUNT.
OH, AYE? HOW IS THAT GOING TAE WORK?
PUT YOUR EGGS IN MY CARTIE. I'LL HIDE THEM THEN WE A' GO LOOKING FOR THEM. IF YE FIND THEM ALL YE GET TAE KEEP THEM ALL.
BUT YOU'LL KEN WHAUR THEY ALL ARE.
WE'LL GET PRIMROSE WHA'S JUST APPEARED SUDDENLY TAE HIDE THEM. SHE DISNAE EAT CHOCOLATE IN CASE SHE GETS PLOOKS.
OKAY THEN.
MEET BACK HERE IN HALF AN HOUR TAE SEE WHO HAS THE MOST.
NOW WE MAKE A GETAWAY WI' ALL THE EGGS, BONNIE.
THIS IS SO THRILLING.
EEK! MY BONNET!
I SMELL A RAT HERE.
DINNA STOP. THE LADS ARE COMING.
SO YE WERE TRYING TAE CHEAT US.
WE'RE TAKING A' THE EGGS - INCLUDING YOURS.
ER, DINNA BE HASTY, PALS.
HORRID BOY! YOUR STUPID GAME HAS RUINED MY EASTER BONNET.
THUMP!
THIS EGG ON MY HEID IS THE ONLY ANE I'VE GOT FOR EASTER NOW.

WULLIE CANNAE ENJOY HIS GAME,
AND HIS HOMEWORK IS TAE BLAME.

JUST THREE DAYS LEFT O' THE EASTER SCHOOL HOLIDAYS.
I'VE HAD A FORTNIGHT TAE DAE THIS SCHOOL HOMEWORK SO I'D BETTER START IT.
ON SECOND THOUGHTS, I'LL STICK IT UNDER MY PILLOW AND FORGET ABOOT IT.
AWA YE GO AND PLAY WHILE I DAE MY HOOSEWORK, WULLIE.
DID YOU SAY HOMEWORK?
NAW, HOOSEWORK.
I'VE GOT HOMEWORK ON THE BRAIN.
YOU'RE RUNNING LATE THIS MORNING, PA.
NO, I'M WORKING FROM HOME TODAY, WULLIE.
ARRGH! HOMEWORK AGAIN!
ARE YOU NO' FEART GOING AWA UP HIGH LIKE THAT, MISTER TODD?
NO, AH'M QUITE AT HOME WORKING UP HIGH, WULLIE.
HOMEWORK AGAIN! I CANNAE GET IT OOT O' MY HEAD.
THERE'S ONLY ONE THING TAE DAE.
BOOT!
C'MERE, YOU.
SEVEN PLUS SIX ARE TWELVE...
THAT'S IT FINISHED! YAHOO!
BOOT!
I BET EVEN LIONEL MESSI PLAYED BETTER WHEN HIS HOMEWORK WAS DONE.

MA WANTS HER LADDIE TAE SMARTEN UP, BUT WULLIE'S PROUD TAE BE A MUCK.
WULLIE ? BE MY VALENTINE
HE'S GOING BACK TO SCHOOL TODAY.
MA! WHAUR ARE MY CLOTHES?
WHERE THEY ALWAYS ARE - HANGING ON YOUR CHAIR!
I KNOW YOU'LL NOT LIKE IT, WULLIE, BUY YOU'RE NOT GOING TAE SCHOOL IN DUNGAREES THIS YEAR.
NAE DUNGAREES? IS THIS NO' A DENIAL OF MY HUMAN RIGHTS OR SOMETHING?
THESE ARE YOUR NEW SCHOOL CLOTHES. YOU'LL LOOK AWFY SMART!
THIS IS AWFY. I FEEL LIKE A RIGHT SWOTTY TWERP!
THERE'S A BRAW PUDDLE. I'LL GET ALL MUCKY AND MA WILL MAKE ME CHANGE BACK INTO MY DUNGAREES.
HEY, GINGER - BET YOU CANNAE SOAK ME!
SORRY, WULLIE. I'VE GOT MY NEW SCHOOL SHOES ON AND MY MA WILL KILL ME IF I GET THEM MUCKY!
MICHTY! TELL ME ABOOT IT!
HERE'S WEE ECK'S DOG! HE'LL JUMP UP ON ME AND GET ME A' DIRTY!
HERE, BOY! COME AND SEE WULLIE!
CRIVVENS! HE DISNAE RECOGNISE ME WITHOOT MY DUNGAREES!
LOOK, EVERYONE! WULLIE'S NOT WEARING DUNGAREES!
PRIMROSE! SHUT UP, WILL YE?
NOBODY WILL BELIEVE US UNLESS WE TWEET A PICTURE!
CAN I HAVE A SELFIE FOR FACEBOOK, WULLIE?
ACH, AWA' AND BOIL YER HEEDS!
WILLIAM! LOOK WHERE YOU'RE GOING!
BUMP!
OH, WILLIAM! I'M SO SORRY!
I WAS BRINGING IN ALL THE PAINT FOR THE ART CLASS!
DINNAE WORRY, MISS! I'LL RUN HAME AND GET CHANGED. JUST YOU GET STARTED WITHOUT ME.
BRAW! BACK IN MY DUNGAREES!
AND I'LL NOT BE HURRYING BACK TO SCHOOL EITHER!

WULLIE AND BOAB ARE FAIR ITCHIN',
TO OPEN UP THEIR SOUP KITCHEN.

SIGH! ANOTHER DAY AT SCHOOL.
IT'S AWFY CAULD FOR A WEE LADDIE TAE BE WALKING TO SCHOOL.
IN THESE COLD WINTER DAYS WE MUST ALL LOOK OUT FOR OUR OLD NEIGHBOURS AND HELP THEM WHEN WE CAN.
THEY CAN RELY ON ME, MISS.
AFTER SCHOOL-
WE'LL HELP AULD FOWK, BOAB. WE'LL MAKE SOUP FOR THEM - A BUCKET O' SOUP.
WE CAN USE THE CARROTS JEEMY MY MOOSE ONLY NIBBLED.
AYE, AND THE NEEPS MY PET RABBIT DISNAE LIKE.
IT'S STARTING TAE SMELL BRAW, WULLIE.
I'VE OFTEN WATCHED MA MAKING SOUP.
WHAT ARE YOU TWA UP TO?
MAKING SOUP. WILL YOU TASTE IT FOR US, MA?
ER... I TASTE VEGETABLES RICHT ENOUGH BUT IT'S A WEE BIT SOUR.
WE'LL SORT THAT.
THIS BOTTLE OF SWEET STUFF HAS BEEN LYING ABOOT MA'S CUPBOARD FOR YEARS.
SWEET SHERRY
UH-OH!
IT MUST BE SOME SORT O' SWEET SAUCE.
THEN-
GRANPAW BROON, THIS SOUP IS FOR YOU AND YOUR CRONIES TAE WARM YE UP DURING WINTER.
SOUNDS GUID, WULLIE.
DID YOU GIVE JEEMY THE MOOSE A WEE PLATE OF HIS SOUP THEN?
NAW, WE GAVE IT TAE POOR AULD FOWK TAE KEEP THEM ALIVE DURING WINTER.
IT REALLY CHEERED THEM UP.
MICHTY, WULLIE - YOU'LL HAE POISONED THEM.
SEE!
WELL, I NEVER.
IT'S A LONG WAY TO TIPPERARY... IT'S A LONG WAY TO GO.
SKIP!

POOR WEE LAD, WHIT AN AWFY SHAME,
WULLIE CANNAE FIT IN A PHOTO FRAME.

PEAS

OCH! PRIMROSE IS COMING TAE SEE ME.
LOOK AT MY SELFIE WITH AMY MACDONALD, WILLIAM.
DEAD JEALOUS
I'M GOING TAE TAKE A SELFIE WI' SOMEBODY FAMOUS.
I'LL GET LIONEL NESSIE, THE AUCHENSHOOGLE STRIKER.
SMILE, SON!
AFC
OOYAH!
WHAP!
AFC
JINGS! I'M A BAW-HEID! THAT'S NAE USE AT ALL.
AFC
I'LL GET A SELFIE WI' MAGGIE BROON. SHE'S DROP DEID GORGEOUS.
AYE, OKAY, WULLIE.
CHEEEEEEESE!
ALL MY FAMILY WANT INTAE THE PHOTO.
CRIVVENS! THERE WAS NAE ROOM FOR ME IN THAT ANE.
MY BUCKET IS FAMOUS. I'LL TAKE A SELFIE O' ME AND IT.
MICHTY! MY BUCKET IS HEAVIER THAN I THOUGHT.
CLANG!
HELP MAH BOAB! MY HEID'S IN A BUCKET!
HUMPH! FRAE NOW ON I'M KEEPING MYSELF TAE MYSELF!

OOR WULLIE TAKES UP GOWFIN',
BUT HIS PLAY IS REALLY BOWFIN'.

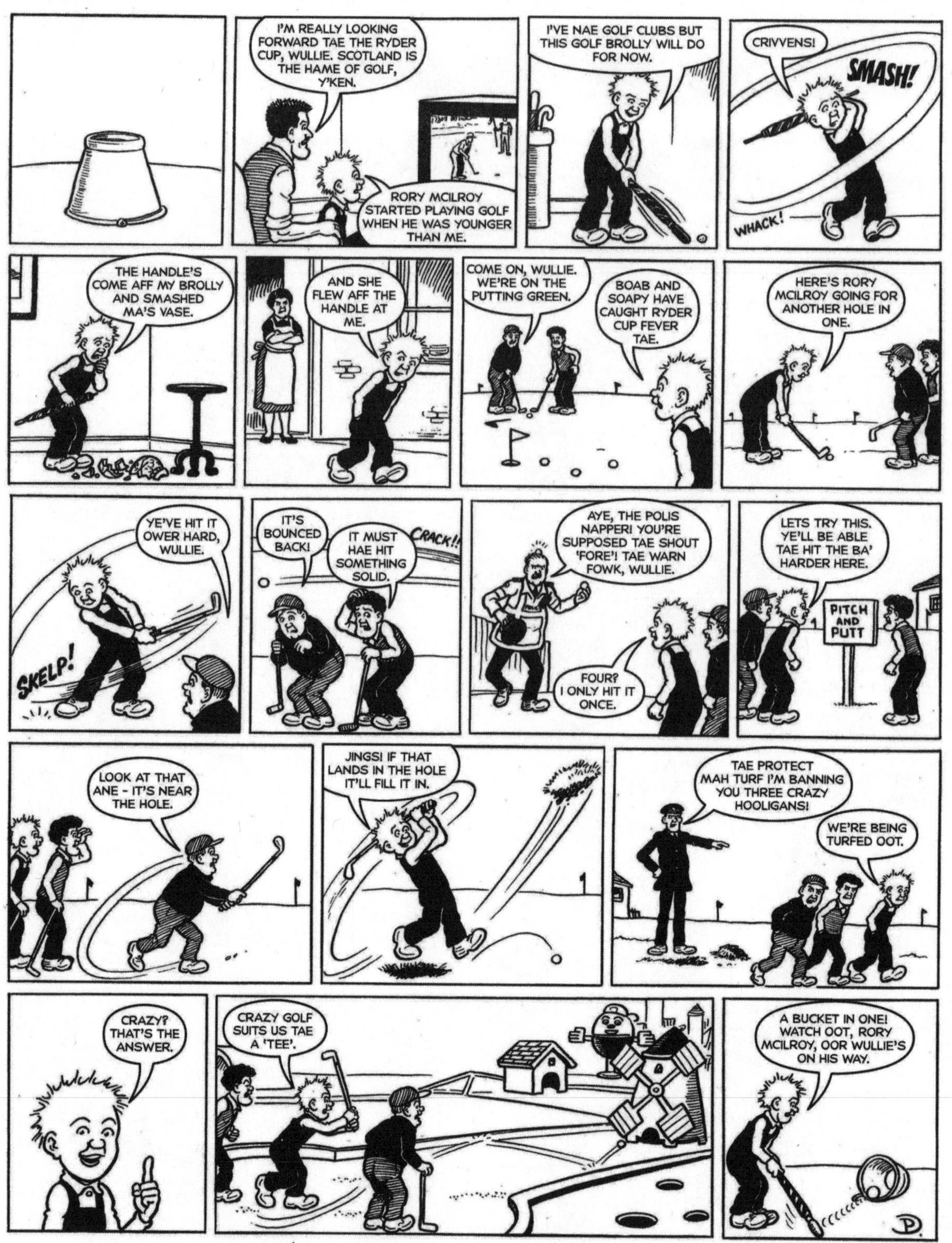

I'M REALLY LOOKING FORWARD TAE THE RYDER CUP, WULLIE. SCOTLAND IS THE HAME OF GOLF, Y'KEN.
RORY MCILROY STARTED PLAYING GOLF WHEN HE WAS YOUNGER THAN ME.
I'VE NAE GOLF CLUBS BUT THIS GOLF BROLLY WILL DO FOR NOW.
CRIVVENS!
SMASH!
WHACK!
THE HANDLE'S COME AFF MY BROLLY AND SMASHED MA'S VASE.
AND SHE FLEW AFF THE HANDLE AT ME.
COME ON, WULLIE. WE'RE ON THE PUTTING GREEN.
BOAB AND SOAPY HAVE CAUGHT RYDER CUP FEVER TAE.
HERE'S RORY MCILROY GOING FOR ANOTHER HOLE IN ONE.
YE'VE HIT IT OWER HARD, WULLIE.
SKELP!
IT'S BOUNCED BACK!
IT MUST HAE HIT SOMETHING SOLID.
CRACK!!
AYE, THE POLIS NAPPER! YOU'RE SUPPOSED TAE SHOUT 'FORE'! TAE WARN FOWK, WULLIE.
FOUR? I ONLY HIT IT ONCE.
LETS TRY THIS. YE'LL BE ABLE TAE HIT THE BA' HARDER HERE.
PITCH AND PUTT
LOOK AT THAT ANE - IT'S NEAR THE HOLE.
JINGS! IF THAT LANDS IN THE HOLE IT'LL FILL IT IN.
TAE PROTECT MAH TURF I'M BANNING YOU THREE CRAZY HOOLIGANS!
WE'RE BEING TURFED OOT.
CRAZY? THAT'S THE ANSWER.
CRAZY GOLF SUITS US TAE A 'TEE'.
A BUCKET IN ONE! WATCH OOT, RORY MCILROY, OOR WULLIE'S ON HIS WAY.

THE NEW PC SHOULD COMMAND RESPECT,
INSTEAD HE ENDS UP GETTING DECKED!

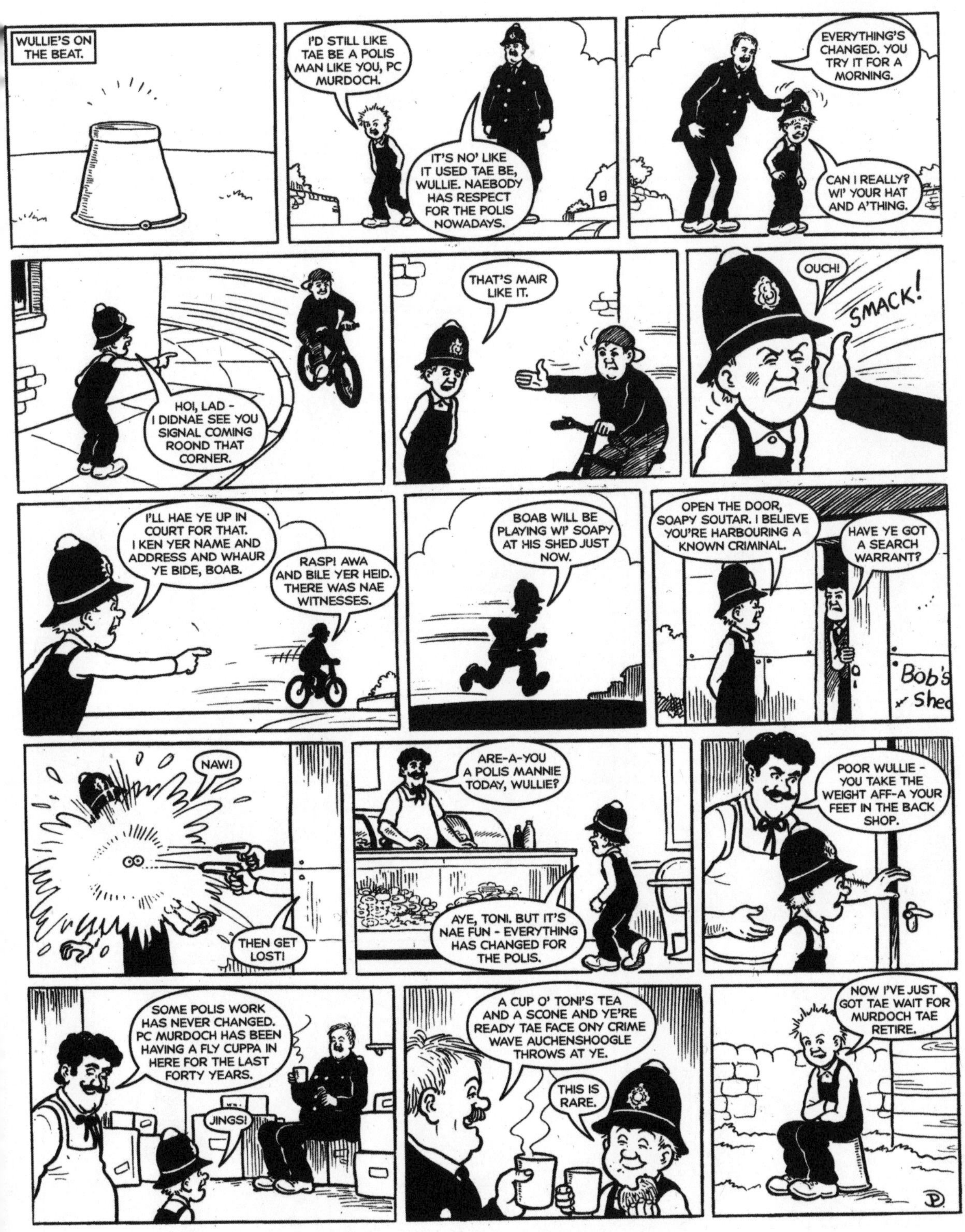

WULLIE'S ON THE BEAT.
I'D STILL LIKE TAE BE A POLIS MAN LIKE YOU, PC MURDOCH.
IT'S NO' LIKE IT USED TAE BE, WULLIE. NAEBODY HAS RESPECT FOR THE POLIS NOWADAYS.
EVERYTHING'S CHANGED. YOU TRY IT FOR A MORNING.
CAN I REALLY? WI' YOUR HAT AND A'THING.
HOI, LAD - I DIDNAE SEE YOU SIGNAL COMING ROOND THAT CORNER.
THAT'S MAIR LIKE IT.
OUCH!
SMACK!
I'LL HAE YE UP IN COURT FOR THAT. I KEN YER NAME AND ADDRESS AND WHAUR YE BIDE, BOAB.
RASP! AWA AND BILE YER HEID. THERE WAS NAE WITNESSES.
BOAB WILL BE PLAYING WI' SOAPY AT HIS SHED JUST NOW.
OPEN THE DOOR, SOAPY SOUTAR. I BELIEVE YOU'RE HARBOURING A KNOWN CRIMINAL.
HAVE YE GOT A SEARCH WARRANT?
Bob's Shed
NAW!
THEN GET LOST!
ARE-A-YOU A POLIS MANNIE TODAY, WULLIE?
AYE, TONI. BUT IT'S NAE FUN - EVERYTHING HAS CHANGED FOR THE POLIS.
POOR WULLIE - YOU TAKE THE WEIGHT AFF-A YOUR FEET IN THE BACK SHOP.
SOME POLIS WORK HAS NEVER CHANGED. PC MURDOCH HAS BEEN HAVING A FLY CUPPA IN HERE FOR THE LAST FORTY YEARS.
JINGS!
A CUP O' TONI'S TEA AND A SCONE AND YE'RE READY TAE FACE ONY CRIME WAVE AUCHENSHOOGLE THROWS AT YE.
THIS IS RARE.
NOW I'VE JUST GOT TAE WAIT FOR MURDOCH TAE RETIRE.

PEACEFUL IT IS NOT,
AT WULLIE'S FAVOURITE COUNTRY SPOT.

OOR WULLIE'S AWA HIKING UP STOORIE DEN.
THIS IS MY FAVOURITE SPOT TAE ENJOY THE PEACE AND QUIET OF THE COUNTRYSIDE.
CHEEP!
AND THIS IS ONE O' MY FAVOURITE CLIMBING TREES.
JINGS! THE CRAWS ARE NESTING.
CAW!
CAW!
CAW!
CAW!
OKAY, OKAY - DINNA GET YOUR FEATHERS IN A TWIST! I'M GOING!
PHEW! IT'S HARD TAE BELIEVE BIRDS CAN MAKE SUCH A RACKET.
CAW!
CAW!
WHIT'S THIS BUZZING ABOOT NOW?
BUZZ!
BUZZ!
BUZZ!
AARRGH! I'M SITTING ON SOMEBODY'S BEEHIVE!
I'LL TAKE A LOOK AT THE PUDDOCKS IN JOCK'S POND.
I FORGOT MAD ERIC THE GOAT LIVES IN THIS FIELD.
BAM!
HOWL!
YOU CAN SHUT UP AN' ALL!
CROAK!
THERE'S NAE PEACE AND QUIET IN THE COUNTRYSIDE. IT'S A MAD HOOSE OOT THERE!
CROAK!

Soapy Souter is a Bubble heid, An Fat Boab disnae Need a feed!
THE FATHER'S DAY PARTY IS QUITE SAD -
FOR NAEBODY THERE IS A DAD.
WULLIE, BOAB AND SOAPY HAVE A MISSION.
WE'RE HAVIN' A FATHER'S DAY PARTY AT OOR HOOSE.
OOR MOTHERS ARE SETTING A'THING UP.
OOR JOB IS TAE KEEP OOR FAITHERS OOT O' THE WAY.
WE'LL HAE A LADS VERSUS DADS WORLD CUP.
SUITS US - WE WERE BRAW PLAYERS.
WOOPS!
SPLASH!
BOOT!
SOAPY'S DAD IS FORGETTING HOW HARD HE KICKS THE BA'.
WHOEVER KICKS THE BA' IN THE WATER HAS TAE GET IT BACK.
SPLASH
HOWL!
I'M AWA HAME.
YE'RE A MAN DOON NOW.
WE'LL STILL BE OWER GOOD FOR YE.
AW, NAW! BOAB'S DAD HAS BURST THE POLIS CAR WINDAE.
SMASH!
MICHTY, BOAB'S FAITHER! IT'S A WHILE SINCE I'VE LIFTED YOU.
GRAB!
ER, HELLO, PC MURDOCH.
THE POLIS WILL NO' CATCH ME - I WAS A SPRINTER.
BUT-
GASP! I CANNA RUN ANOTHER STEP.
I'LL GET MY CARTIE, PA.
WHAUR ARE THE DADS? THE PARTY IS ALL LAID OOT.
MINE IS IN BED WI' A CHILL.
MINE IS IN THE POLIS CELLS.
ZZZZZZ
MINE IS ZONKED OOT COMPLETELY.
SO THIS IS A NAE FATHER'S DAY PARTY.
ZZZZ
WI' BOAB AROOND THE FOOD WILL NO' BE WASTED.

PLOOKY JAKE'S BAD BEHAVIOUR
IS STOPPED BY AN UNLIKELY SAVIOUR.

MY FAITHFUL FRIEND IS NO' WITH ME.
PA HAS TAKEN HARRY FOR A WALK WHILE I PLAY FITBA WITH THE LADS.
BUT-
GIE ME THAT BALL OR I'LL CLOUT YE ALL.
RUN, WULLIE!
C'MERE, YOU!
PLOOKY JAKE IS TOUGHER THAN ME BUT NO' SAE FAST.
THE BA'S IN MY SHED AND MY SHED IS GUARDED.
NAW IT'S NAW! I SAW YER FAITHER TAKING YER SNAPPY WEE DUG FOR A WALK.
BLAAAART!
CRIVVENS! WHAT HAVE YE GOT IN THERE? A HIPPO?
MAYBE - I'M NO' TELLING YE.
YE BIG FEARTIE!
I'M AWA - DINNAE LET IT LOOSE.
WAIT A MINUTE - WHAT IS IN MAH SHED?
SNNNNORT!
YOUR SHED'S HAUNTED, WULLIE.
IT'S COMING FROM THON AULD GRAMOPHONE.
BLAAART!
CLOSE YER EYES AND TAK' A LOOK, WULLIE.
IT'S JEEMY MY MOOSE SLEEPING ON THE GRAMOPHONE.
SNORT!
HA! HA! YOUR SNORING THROUGH THE TRUMPET IS WHAT SCARED PLOOKY JAKE AWA.
I'VE HEARD OF A GUARD DUG BUT NEVER A GUARD MOOSE.

TAKIN' TIPS FROM A LASSIE,
MAKES WULLIE'S GAME AWFY CLASSY.
IT'S WIMBLEDON FORTNIGHT-
I CANNA UNDERSTAND IT. ANDY MURRAY MUST NO' HAE GOT MY LETTER OFFERING TAE COACH HIM. HE'S HAD TAE APPOINT A LASSIE.
STILL, I MUST GET ON WI' PREPARING THE CENTRE COURT.
ARE YOU READY FOR OOR BIG MATCH, WULLIE?
AYE. I'M ANDY MURRAY AND YOU'RE NADAL.
WHACK!
A GREAT SERVE BY ANDY.
SMASH!
BUT AN EVEN BETTER RETURN FROM RAFA.
SOON-
THIS IS AWFY! I'M GETTING WELL BEATEN.
I'M NOT SURPRISED.
YOUR FIRST SERVE IS POOR BECAUSE YOUR BALL TOSS ISN'T STRAIGHT AND YOU'VE LOST YOUR FOOTWORK ON YOUR BACKHAND SIDE.
HUH?
SMASH!
MICHTY! PRIMROSE WAS RICHT.
ANOTHER WINNER.
SHORTLY-
WEEL DONE, WULLIE - YOU WERE TOO GUID FOR ME.
LASSIES AS COACHES? I'LL NEVER DOUBT YOU AGAIN, ANDY.
TENNIS IS BRAW

FIRST WEE GLIMPSE O' SUMMER SUN,
AND THE BOYS ARE HEADING FOR SEASIDE FUN.

IT'S SUCH BRAW WEATHER, ME AND BOAB ARE GOING TAE THE BEACH.
WHERE'S YER BEACH GEAR, WULLIE?
I'VE ROLLED UP MAH DUNGAREES. WHIT MAIR DO YE WANT?
LOOK AT THAT DAFT MANNIE.
IT'S PC MURDOCH WI' A POLIS SUN HAT.
I'M AFF DUTY BUT I'M KEEPIN' AN EYE ON YOU TWA.
WE'LL BOUNCE OOR INFLATABLE DOON TAE THE SEA.
YEE-HA!
BOUNCE!
HOWL!
WOOPS!
I'M CONFISCATING THIS OBJECT AFORE YE BRAIN SOME POOR SOUL.
SPOILSPORT!
MURDOCH'S FALLEN ASLEEP. WE'LL BURY HIM IN THE SAND.
I HOPE THERE'S ENOUGH SAND ON THE BEACH.
HEH! HEH!
LET'S GO GET AN ICE CREAM NOW.
SNORE!
STOP, THIEF! HE'S AWA WI' MY TAKINGS!
MICHTY! LOOK AT THAT, BOAB!
ICE CREAM
FREE PIES FOR THE POLIS!
EH? WHAT'S THAT YE SAY?
CRIVVENS! A TRAP!
BRILLIANT WORK, MR MURDOCH. LYING IN WAIT LIKE THAT.
AYE, US POLIS ARE AYE ALERT.
WHIT?
PC MURDOCH GAVE US A REWARD.
EAT IT AFORE IT DRIPS, WULLIE.

WULL HAS NO NEED FOR AN UMBRELLA,
SO IS HE BEING A SILLY FELLAH?
WHIT A RARE DAY - YE'D THINK IT WAS NEARLY SUMMER.
I'VE GOT MY PADDLING POOL OOT FOR THE FIRST TIME THIS YEAR.
GOOD FOR YOU, BOAB.
I'VE GOT MY WATER PISTOL OOT FOR THE FIRST TIME THIS YEAR TOO.
AAARRGH! YE RAT!
IT'S AWFY WARM TAE BE CUTTING THIS GRASS, WULLIE.
PUFF!
LET ME HELP YOU, SOAPY.
PUSH!
WAAUUGH! THAT'S CAULD!
NICE AND COOL NOW? THAT'S WHAT FRIENDS ARE FOR, MATE.
I'VE HEARD THE OTHERS SCREAM SO DON'T YOU DARE FIRE THAT WATER PISTOL AT ME.
YOU'VE GOT MY WORD, PRIMROSE.
MISS FOO-FOO LIKES A COOL BATH THOUGH.
MY PLEASURE.
WAIT FOR IT...
...I KNEW THAT WOULD HAPPEN! HA! HA!
SHAKE!
YOU AWFUL BOY! I'M SOAKED!
TIME TAE MAKE A SPEEDY GETAWAY.
AT HAME-
WULLIE, AWA AND GET INTAE SOME LIGHTER SUMMER CLAES ON THIS BRAW DAY.
PECH!
OK, MA.
SILLY LADDIE, IT'S NOT GOING TAE RAIN TODAY. PUT AWA THAT BROLLY.
NAW - NAW, I NEED THIS.
A' MY PALS ARE OUT TAE GET ME BACK FOR SOAKING THEM.
HA! HA! THERE'S NAE FLIES ON ME - AND NAE WATER EITHER.

WULLIE THINKS IT REALLY COOL
TAE HAE YOUR AIN BACKYARD POOL.

IT'S BEEN SO WET THIS WEEK THAT I'VE HARDLY DONE A THING.
JUST ATE AND SLEPT AND WATCHED TELLY. I'M AWFY UNFIT.
THEY'LL CALL ME 'OOR PORKIE' WHEN WE GO BACK TAE SCHOOL.
IT'S A FINE DAY TODAY, WULLIE. YOU CAN HELP ME CLEAR THE GARDEN - THAT'LL GET YE FIT.
OKAY, BUT IT DISNAE SOUND VERY EXCITING.
HERE'S THE SKIP I ORDERED.
CRIVVENS! HAVE WE TAE FILL THAT MUCKLE THING?
FETCH A PLANK SO WE CAN PUSH THE BARROW UP TAE IT.
I'LL WASH IT OUT BEFORE WE FILL IT WI' MUCK.
THAT'S A BIT DAFT.
YOU'LL NEED TAE PUT THESE THINGS ON, WULLIE.
IS IT AULD DUNGAREES AND GLOVES?
NAW, YE SILLY LADDIE - IT'S SWIMMING GEAR. LOOK BEHIND YE!
WOW! MY AIN SWIMMIMG POOL. THE SKIP'S FULL O' WATER.
IT'S CAULD WATER, MIND.
NOW YOU TELL ME.
AAAAARG!
SCOTS LADDIES ARE IMMUNE TAE CAULD BY THEIR FIRST BIRTHDAY.
FIFTY LENGTHS OF THE POOL WILL GET YE FIT AGAIN.
IT'S SHIVERY BUT BRAW.
SOON-
WID SIR LIKE A COCKTAIL AT THE POOL SIDE?
COCKTAIL? I'M NEEDING MY DENNER.
THIS IS A MINCE AND TATTIES WI' PEAS COCKTAIL.
YAH BEAST!
WHIT A GREAT DAY! I FEEL FIT AS A FIDDLE NOW.

BASHFUL WULLIE HAS GONE RED,
'CAUSE AMY MACDONALD IS IN HIS SHED.

WULLIE'S IN HIS SHED... AND DREAMLAND.
I LOVED BEING PART OF THE COMMONWEALTH GAMES OPENING CEREMONY.
STARE!
KNOW WHAT THE BEST PART WAS?
SEEING AMY MACDONALD. WHIT A STOATER, AND SHE'S FRAE GLASGOW.
I KEN, I'LL WRITE A SONG FOR AMY AND MAYBE SHE'LL RECORD IT.
WILLIAM, DO YOU WANT TO MEET MY FRIEND?
WHEESHT, PRIMROSE! I'M COMPOSING A SANG.
AMY MACDONALD.
SO HOW'S IT GAUN, WULLIE?
SPEECHLESS!
AMY IS A SINGER SONG WRITER. SHOW HER YOUR SONG.
GULP!
I COULDN'T FIND A WORD TAE RHYME WITH 'STOATER'.
REALLY!
AMY IS BRAW
AMY IS BRAW
CHorus
AMY IS BRAW
AMY IS BRAW
FIZZ!
THAT'S PUIR DEAD BRILLIANT, WULLIE.
YER A WEE STOATER YERSELF, WULLIE.
PLONK!
HELP MAH BOAB!
WILLIAM!
I MUST BE DREAMING.
YOU HORRIBLE BOY! YOU NEVER FAINT WHEN I KISS YOU!
HERE'S YOUR WAKE-UP CALL!
WHAP!
WHIT A DAY! A KISS FRAE AMY AND A BLACK EYE FRAE PRIMROSE. IT WAS WORTH IT THOUGH.
TAE WULLIE
Amy X

AUCHENSHOOGLE'S PROUD OF ITS FAMOUS LAD - WELL, UNTIL THE NEXT TIME HE'S BAD.

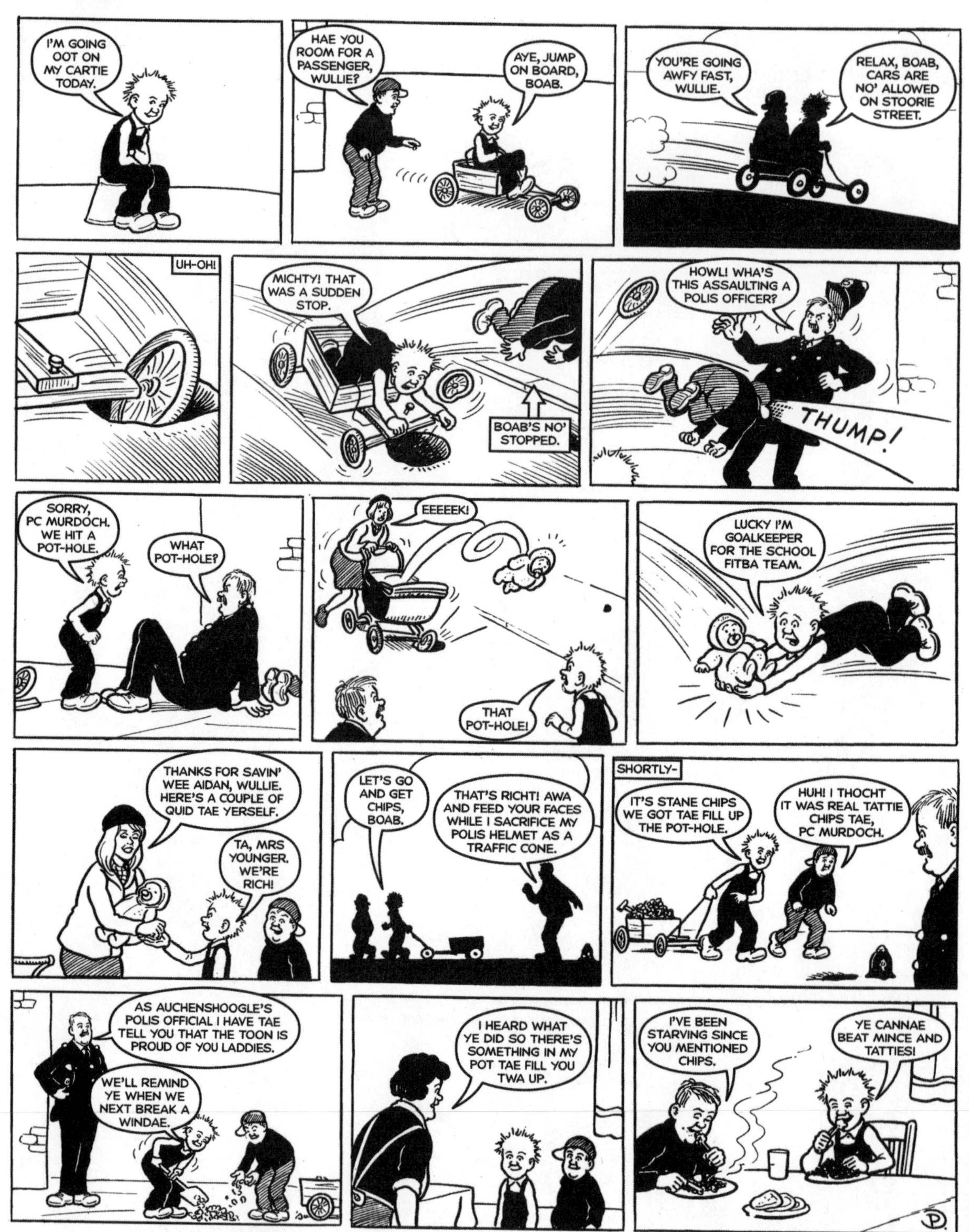

I'M GOING OOT ON MY CARTIE TODAY.
HAE YOU ROOM FOR A PASSENGER, WULLIE?
AYE, JUMP ON BOARD, BOAB.
YOU'RE GOING AWFY FAST, WULLIE.
RELAX, BOAB, CARS ARE NO' ALLOWED ON STOORIE STREET.
UH-OH!
MICHTY! THAT WAS A SUDDEN STOP.
BOAB'S NO' STOPPED.
HOWL! WHA'S THIS ASSAULTING A POLIS OFFICER?
THUMP!
SORRY, PC MURDOCH. WE HIT A POT-HOLE.
WHAT POT-HOLE?
EEEEEK!
THAT POT-HOLE!
LUCKY I'M GOALKEEPER FOR THE SCHOOL FITBA TEAM.
THANKS FOR SAVIN' WEE AIDAN, WULLIE. HERE'S A COUPLE OF QUID TAE YERSELF.
TA, MRS YOUNGER. WE'RE RICH!
LET'S GO AND GET CHIPS, BOAB.
THAT'S RICHT! AWA AND FEED YOUR FACES WHILE I SACRIFICE MY POLIS HELMET AS A TRAFFIC CONE.
SHORTLY-
IT'S STANE CHIPS WE GOT TAE FILL UP THE POT-HOLE.
HUH! I THOCHT IT WAS REAL TATTIE CHIPS TAE, PC MURDOCH.
AS AUCHENSHOOGLE'S POLIS OFFICIAL I HAVE TAE TELL YOU THAT THE TOON IS PROUD OF YOU LADDIES.
WE'LL REMIND YE WHEN WE NEXT BREAK A WINDAE.
I HEARD WHAT YE DID SO THERE'S SOMETHING IN MY POT TAE FILL YOU TWA UP.
I'VE BEEN STARVING SINCE YOU MENTIONED CHIPS.
YE CANNAE BEAT MINCE AND TATTIES!

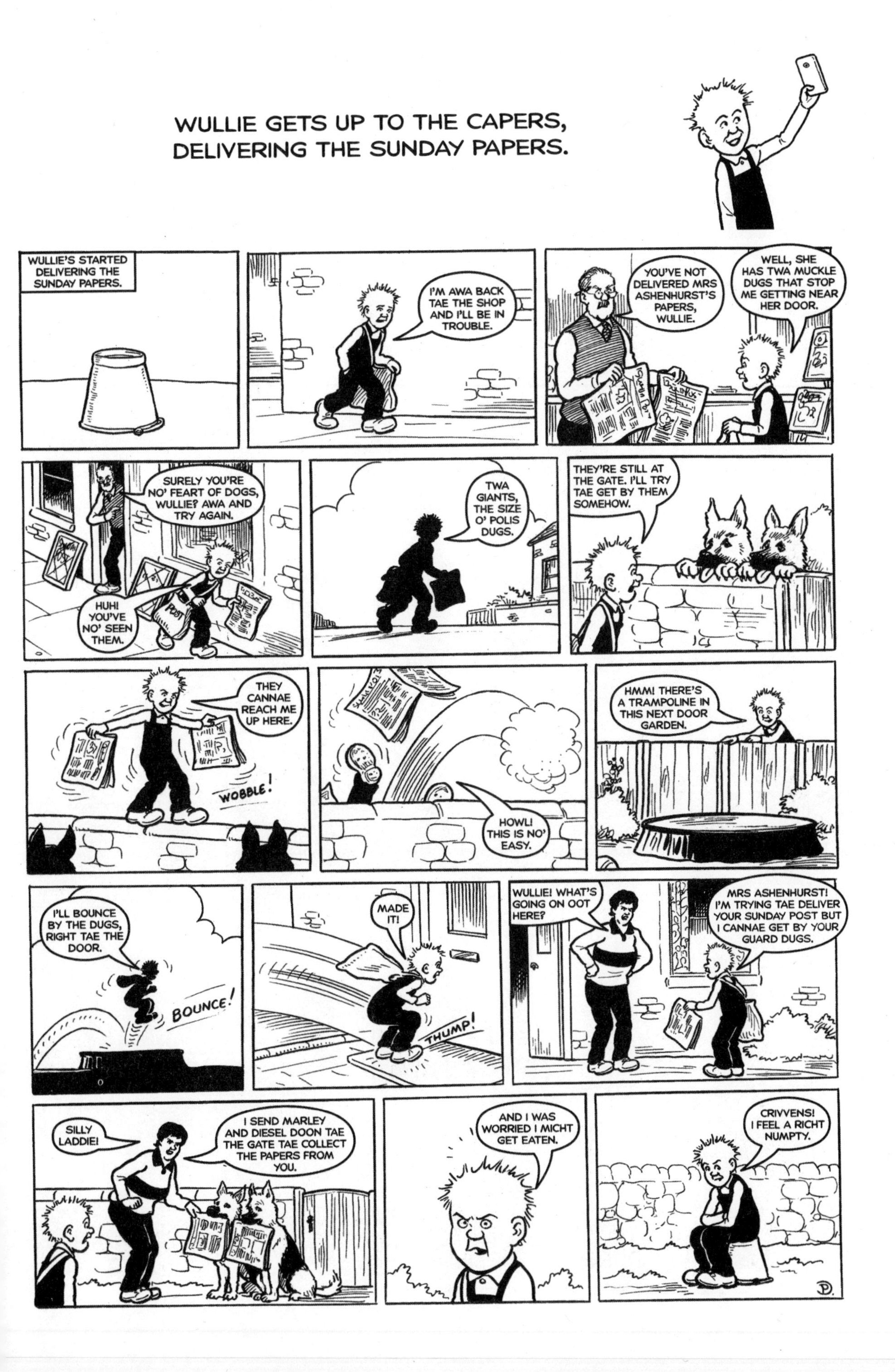
WULLIE GETS UP TO THE CAPERS,
DELIVERING THE SUNDAY PAPERS.
WULLIE'S STARTED DELIVERING THE SUNDAY PAPERS.
I'M AWA BACK TAE THE SHOP AND I'LL BE IN TROUBLE.
YOU'VE NOT DELIVERED MRS ASHENHURST'S PAPERS, WULLIE.
WELL, SHE HAS TWA MUCKLE DUGS THAT STOP ME GETTING NEAR HER DOOR.
SURELY YOU'RE NO' FEART OF DOGS, WULLIE? AWA AND TRY AGAIN.
HUH! YOU'VE NO' SEEN THEM.
POST
TWA GIANTS, THE SIZE O' POLIS DUGS.
THEY'RE STILL AT THE GATE. I'LL TRY TAE GET BY THEM SOMEHOW.
THEY CANNAE REACH ME UP HERE.
WOBBLE!
HOWL! THIS IS NO' EASY.
HMM! THERE'S A TRAMPOLINE IN THIS NEXT DOOR GARDEN.
I'LL BOUNCE BY THE DUGS, RIGHT TAE THE DOOR.
BOUNCE!
MADE IT!
THUMP!
WULLIE! WHAT'S GOING ON OOT HERE?
MRS ASHENHURST! I'M TRYING TAE DELIVER YOUR SUNDAY POST BUT I CANNAE GET BY YOUR GUARD DUGS.
SILLY LADDIE!
I SEND MARLEY AND DIESEL DOON TAE THE GATE TAE COLLECT THE PAPERS FROM YOU.
AND I WAS WORRIED I MICHT GET EATEN.
CRIVVENS! I FEEL A RICHT NUMPTY.

WULL HAS HOLIDAYS ON HIS MIND
AND TEACHER'S KEEPING HIM BEHIND.

WAHOO! SCHOOL BREAKS UP FOR SUMMER HOLIDAYS AT LUNCHTIME.
SIX WEEKS OF DOING WHATEVER I WANT.
I'LL CHECK IF THERE'LL BE FISH IN THE BURN TO CATCH.
AYE, THERE'S PLENTY.
BRAW! THE PARKIE IS CUTTING THE PITCHES.
ME AND THE LADS WILL PLAY CRICKET THERE IN THE HOLIDAYS.
THAT LOOKS HOPEFUL.
SUMMER SALE
COOL - I'LL BUY A TENT WITH MAH HOLIDAY MONEY AND GO CAMPING WI' BOAB.
IS THAT A RING, WULLIE?
I'LL MAYBE BUY YIN FOR PLAYING AT BRACKEN BEACH.
NO, YOUR SCHOOL BELL IS RINGING, WULLIE.
RRRIIING!!!
CRIVVENS! I'LL BE LATE ON THE LAST DAY.
GASP! PANT!
LATE AS USUAL, WILLIAM.
YOU CAN STAY BEHIND AND HELP THE CARETAKER THIS AFTERNOON.
BUT, MISS - I'LL BE LATE FOR MY HOLIDAYS THEN.
PRIMROSE LUVS
AUCHENTOGLE ROVERS ARE MINCE
TEACHER
MUTTER! I'VE TAE WIPE A' THE CHALK MARKS AFF THE SCHOOL WALLS.
BUT IT DIDNAE WIPE THE SMILE AFF MY FACE. I LOVE THE HOLIDAYS!

IT'S ENOUGH TAE MAKE ONYBODY GREET - A DAY SITTING ON WULLIE'S SEAT.

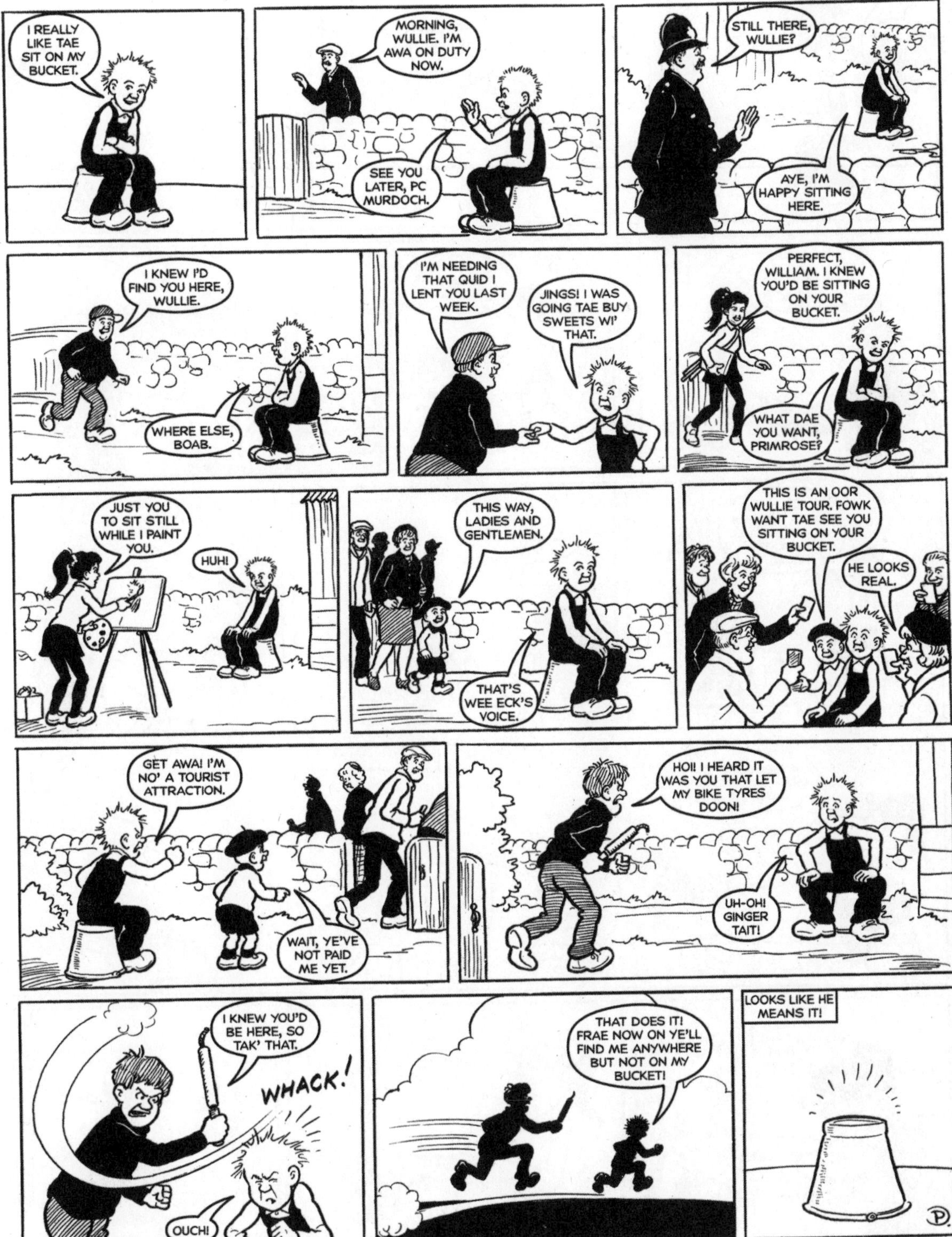
I REALLY LIKE TAE SIT ON MY BUCKET.
MORNING, WULLIE. I'M AWA ON DUTY NOW.
SEE YOU LATER, PC MURDOCH.
STILL THERE, WULLIE?
AYE, I'M HAPPY SITTING HERE.
I KNEW I'D FIND YOU HERE, WULLIE.
WHERE ELSE, BOAB.
I'M NEEDING THAT QUID I LENT YOU LAST WEEK.
JINGS! I WAS GOING TAE BUY SWEETS WI' THAT.
PERFECT, WILLIAM. I KNEW YOU'D BE SITTING ON YOUR BUCKET.
WHAT DAE YOU WANT, PRIMROSE?
JUST YOU TO SIT STILL WHILE I PAINT YOU.
HUH!
THIS WAY, LADIES AND GENTLEMEN.
THAT'S WEE ECK'S VOICE.
THIS IS AN OOR WULLIE TOUR. FOWK WANT TAE SEE YOU SITTING ON YOUR BUCKET.
HE LOOKS REAL.
GET AWA! I'M NO' A TOURIST ATTRACTION.
WAIT, YE'VE NOT PAID ME YET.
HOI! I HEARD IT WAS YOU THAT LET MY BIKE TYRES DOON!
UH-OH! GINGER TAIT!
I KNEW YOU'D BE HERE, SO TAK' THAT.
WHACK!
OUCH!
THAT DOES IT! FRAE NOW ON YE'LL FIND ME ANYWHERE BUT NOT ON MY BUCKET!
LOOKS LIKE HE MEANS IT!

WULLIE'S NO' IN ANY HURRY
TAE BE MARRIED LIKE ANDY MURRAY.

I GET FAIR EXCITED WHEN THE WIMBLEDON TENNIS IS ON.
I LIKE TAE PRETEND I'M ANDY MURRAY.
THUMP!
CRIVVENS! PC MURDOCH!
ANDY MURRAY? CHIC MURRAY, MAIR LIKE.
DON'T YOU KNOW ANDY MURRAY PLAYED MUCH BETTER AFTER HE GOT MARRIED.
OH, AYE? WHAUR'S THIS GOING?
I'LL PRETEND TO BE YOUR WIFE, WILLIAM.
WAIT A MEENIT!
I'LL SIT IN THE CROWD AND LOOK GORGEOUS LIKE MRS MURRAY DOES.
WELL, MIND YE BIDE THERE.
COME ON, WILLIAM. GOOD SHOT.
SEE, YOU'RE PLAYING BETTER NOW WE'RE MARRIED.
STOP SAYING THAT.
FIFTEEN-LOVE! AND I LOVE YOU, HUSBAND.
WHACK!
HELP MAH BOAB! I'VE HAD ENOUGH O' THIS.
OUCH!
WHAP!
REBOUND!
HEH! HEH!
YOU MEANT THAT.
NAW, I DIDNAE!
GRAB!
HORRID BOY! I'M DIVORCING YOU!
CRUNCH!
THAT LASSIE HITS HARDER THAN SERENA WILLIAMS.

OOR WULLIE'S FIRST DRUM ROLL
IS WELL AND TRULY OUT OF CONTROL.

GRANNY SOOKERS

WULLIE'S OOT AND ABOOT.
CAN YOU HEAR WHAT I HEAR, BOAB?
AYE, BAGPIPES.
THAT'S A GREAT SIGHT. THE AUCHENSHOOGLE AND DISTRICT POLIS PIPE BAND.
THE SOUND O' THE PIPES MAKES MY HAIR STAND ON END.
YOUR HAIR AYE STANDS ON END, WULLIE.
LOOK AT THE SIZE O' FEET THE MAN ON THE BIG DRUM HAS.
IT'S PC MURDOCH.
TAKE A BREATHER, LADS.
I'D LIKE TAE PLAY THE BIG DRUM.
I'D LIKE TAE PLAY ON IT - IT WID BE A BRAW TRAMPOLINE.
WE'RE AYE LOOKING FOR NEW BLOOD IN THE BAND. HAE A SHOTTIE, WULLIE.
REALLY? THANKS, PC MURDOCH.
CRIVVENS! IT WEIGHS A TON.
SHOVE ME UP, BOAB.
HERE GOES.
NAW! YE'VE SHOVED OWER HARD.
MICHTY! HAUD TIGHT.
IT'S NO' MY FAULT.
STOP PLAYING THE FOOL - YE'RE SUPPOSED TAE BE PLAYING THE DRUM.
I HOPE THAT ISNAE A THORN HEDGE.
MY BONNY WEE LAD, YOU'RE A'RICHT. THANK GOODNESS.
JINGS, PC MURDOCH - I NEVER KNEW YOU CARED.
HUH! HE WAS TALKING ABOOT HIS DRUM.
YE DID WELL, WULLIE - IT TOOK ME TWA YEARS TAE PERFECT THE DRUM ROLL.
HAW! HAW!
I DIDNAE GET TAE BEAT THE DRUM.
IT BEAT ME!

COUNTRYSIDE THRILLS
WITH AUCHENSHOOGLE'S AIN BEAR GRYLLS.

WULLIE MUST BE AWA TAE SCHOOL-
JINGS! HE'S NO' THERE AND NEITHER IS ONYBODY ELSE.
THE MYSTERY IS SOLVED IN STOORIE DEN-
WE'RE GOING TO BE PART OF NATUREWATCH, CLASS. TRY NOT TO MAKE TOO MUCH NOISE.
I SUPPOSE THIS IS BETTER THAN BEING IN CLASS ONYWAY.
TAKE OUT YOUR NOTEBOOKS AND RECORD ALL THE ANIMALS AND BIRDS YOU SPOT.
AS LONG AS NAEBODY SPOTS US DISAPPEARING.
AYE, THAT'S BORING STUFF.
WE'LL GO AND HUNT THE MYSTERIOUS CREATURE THEY CALL THE 'DEVIL O' THE DEN'.
I'M GUID AT SPOTTING BIRDS.
ARE YOU TALKING ABOOT MAGGIE BROON AGAIN?
AH KEN ALL ABOOT SURVIVING IN THE COUNTRYSIDE.
HUH! YOU THINK YE'RE BEAR GRYLLS JUST BECAUSE YE HAE A PET MOOSE.
FOR INSTANCE, YE CAN MAK' SOUP OR TEA OOT O' THESE PLANTS.
AYE? I COULD DAE WI' A CUP OF TEA.
THOUGH DINNA STICK YER NOSE AMONGST THEM - THEY'RE JAGGY NETTLES.
HELP MAH BOAB! I COULD HAE SPOILT MY LOOKS.
WILL THAT BE THE DEVIL O' THE DEN, WULLIE?
NAW, THEY SAY THE DEVIL O' THE DEN IS A HUGE BIRD. THAT'LL BE A WEE RABBIT.
RUSTLE!
CRIVVENS! IT'S FARMER EASTON'S AULD GANDER!
AN' IT IS A DEVIL!
ANGRY HONK!
RUN FOR IT!
HIDE IN THESE BUSHES.
THEN-
AHEAD WE HAVE SOME INTERESTING SPECIMENS OF WILDLIFE, CLASS.
FOUR LITTLE BEASTS WHO HAVE PAID NO ATTENTION TO OUR LESSON.
WE CANNAE COME AHEAD, MISS - WE'RE STUCK IN THESE BRAMBLES.
AND WE CANNAE GO BACK FOR A GREAT MUCKLE GOOSE.
WE GOT EXTRA LESSONS TAE DO TONIGHT - AND TEACHER IS ON 'HOMEWORK WATCH'.

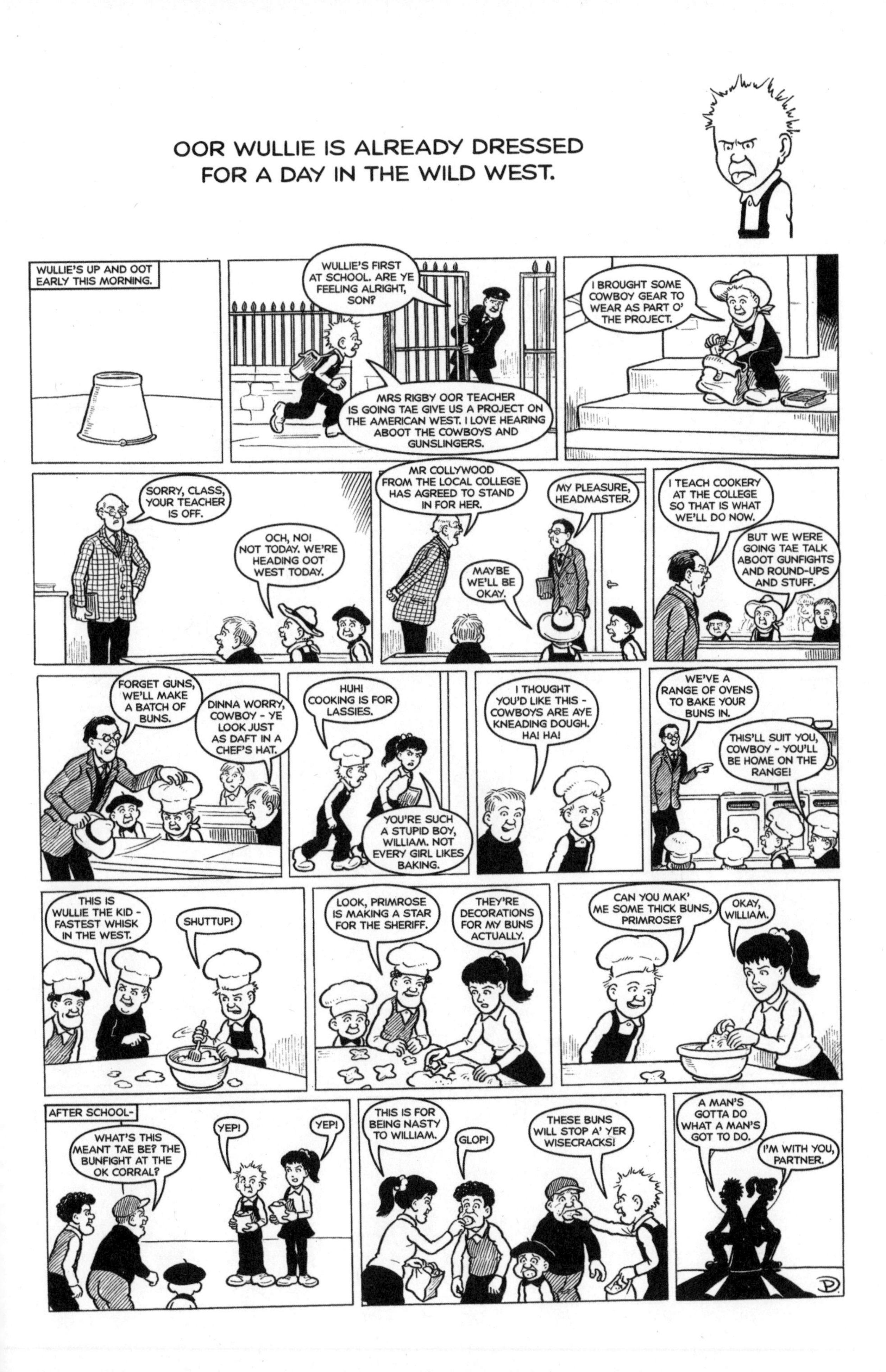

OOR WULLIE IS ALREADY DRESSED FOR A DAY IN THE WILD WEST.
WULLIE'S UP AND OOT EARLY THIS MORNING.
WULLIE'S FIRST AT SCHOOL. ARE YE FEELING ALRIGHT, SON?
MRS RIGBY OOR TEACHER IS GOING TAE GIVE US A PROJECT ON THE AMERICAN WEST. I LOVE HEARING ABOOT THE COWBOYS AND GUNSLINGERS.
I BROUGHT SOME COWBOY GEAR TO WEAR AS PART O' THE PROJECT.
SORRY, CLASS, YOUR TEACHER IS OFF.
OCH, NO! NOT TODAY. WE'RE HEADING OOT WEST TODAY.
MR COLLYWOOD FROM THE LOCAL COLLEGE HAS AGREED TO STAND IN FOR HER.
MY PLEASURE, HEADMASTER.
MAYBE WE'LL BE OKAY.
I TEACH COOKERY AT THE COLLEGE SO THAT IS WHAT WE'LL DO NOW.
BUT WE WERE GOING TAE TALK ABOOT GUNFIGHTS AND ROUND-UPS AND STUFF.
FORGET GUNS, WE'LL MAKE A BATCH OF BUNS.
DINNA WORRY, COWBOY - YE LOOK JUST AS DAFT IN A CHEF'S HAT.
HUH! COOKING IS FOR LASSIES.
YOU'RE SUCH A STUPID BOY, WILLIAM. NOT EVERY GIRL LIKES BAKING.
I THOUGHT YOU'D LIKE THIS - COWBOYS ARE AYE KNEADING DOUGH. HA! HA!
WE'VE A RANGE OF OVENS TO BAKE YOUR BUNS IN.
THIS'LL SUIT YOU, COWBOY - YOU'LL BE HOME ON THE RANGE!
THIS IS WULLIE THE KID - FASTEST WHISK IN THE WEST.
SHUTTUP!
LOOK, PRIMROSE IS MAKING A STAR FOR THE SHERIFF.
THEY'RE DECORATIONS FOR MY BUNS ACTUALLY.
CAN YOU MAK' ME SOME THICK BUNS, PRIMROSE?
OKAY, WILLIAM.
AFTER SCHOOL-
WHAT'S THIS MEANT TAE BE? THE BUNFIGHT AT THE OK CORRAL?
YEP!
YEP!
THIS IS FOR BEING NASTY TO WILLIAM.
GLOP!
THESE BUNS WILL STOP A' YER WISECRACKS!
A MAN'S GOTTA DO WHAT A MAN'S GOT TO DO.
I'M WITH YOU, PARTNER.

WULLIE THINKS IT VERY NICE -
WHEN THE LAWMAN GIVES HIM ADVICE.

WULLIE'S AT SCHOOL
WE'RE RECYCLING CANS TO MAKE MONEY FOR THE SCHOOL. THE PUPIL WHO COLLECTS MOST CAN HAVE A HALF DAY ON FRIDAY.
RECYCLING
THAT'S FOR ME!
DINNA YOU BE SO SURE.
LATER-
I'M NEEDING YOUR EMPTY CANS, MA.
SORRY, WULLIE - I RECYCLED THEM A'READY.
I'LL SEE IF THERE'S ONY IN THIS BIN?
WE'LL GIVE YE A HAND TAE LOOK, WULLIE.
HOWL!
SOMETHING SMELLS BAD AROOND HERE, BOB.
AYE, SOAPY - IT'S WULLIE!
YOU CHEATERS!
I HOPE YOU'RE NO' THINKING O' STARTING TAE DRINK BEER, WULLIE.
DINNA BE DAFT. I'M WAITING FOR THESE LADS TAE FINISH THEIR CANS.
LET ME TELL YOU WHERE I WAS ON DUTY LAST NICHT...WHISPER.
JINGS!
WE'RE GETTING TONS O' CANS. WHAUR ARE YOU GOING, WULLIE?
FARMER GRAY'S FIELD.
HA! HA! DAE YE THINK HIS COOS ARE DRINKING COLA?
PC MURDOCH TOLD ME THERE WAS A ROCK CONCERT HERE LAST NIGHT AND THEY HADNAE GOT ROUND TAE PICKING UP THE LITTER YET.
NEXT DAY-
STAND ASIDE FOR MY FIRST LOAD O' CANS.
I DINNA BELIEVE MY EYES.
MICHTY! HE'S GOT A MOUNTAIN O' THEM.
WILLIAM WINS THE HALF HOLIDAY FOR HIS SUPER RECYCLING EFFORT.
SMUG
MUTTER!
ENJOY SCHOOL, BOYS - THIS IS THE SORT OF CYCLING I'M DOING THIS AFTERNOON.
FUME!
HA! HA! DID YE SEE THEIR FACES?

WULLIE'S COLOURFUL DUNGAREES,
WERE ONCE FLUTTERING IN THE BREEZE.

WULLIE'S AT SCHOOL.
WE'RE HAVING AN INTERNATIONAL DAY TOMORROW. WEAR YOUR NATIONAL DRESS IF YOU CAN.
THAT'LL BE BRAW.
I'LL WEAR MY POLISH WAISTCOAT.
I'LL WEAR MY SARI.
I'LL BORROW MY UNCLE'S FEZ.
I'M GOING TAE WEAR MY KILT TOMORROW.
ME TAE.
NEXT DAY-
YOUR LEGS ARE TOO PEELY-WALLY TAE BE SEEN IN A KILT.
HUH! I'VE GUID LEGS.
AYE, FOR A SPARRA.
YOU HAVE TAE BE MY BUILD TAE LOOK GOOD IN THE KILT.
YOU MEAN HAE A BIG BACKSIDE.
I'VE GOT A PLAN.
GET NEEDLES AND THREAD, PRIMROSE. I'M NEEDING YOUR HELP.
DO BE CAREFUL, WILLIAM.
I'VE BROUGHT MY SEWING MACHINE.
WHIIIRRRR!!
YOU'RE A JEENY-ASS, PRIMROSE.
I'VE GOT REALLY SCOTTISH DUNGAREES NOW.
DID YOU DO THAT TO MY FLAG, WULLIE?
JINGS! SCOTLAND'S FIRST MINISTER.
I CANNA TELL A LIE - IT WAS ME.
I'M OPENING THE NEW BAGPIPE FACTORY IN AUCHENTOGLE TONIGHT AND YOU'VE GIVEN ME A GOOD IDEA. HERE'S FIFTY PENCE, WULLIE.
LATER-
NICOLA STURGEON, YOUR DRESS IS MAGNIFICENT.
WOW!
FASHION DESIGNERS ARE REAL WEEL PAID!

MURDOCH LEAVES THE HIGHLAND WARRIOR, FEELING A SIGHT SORRIER.

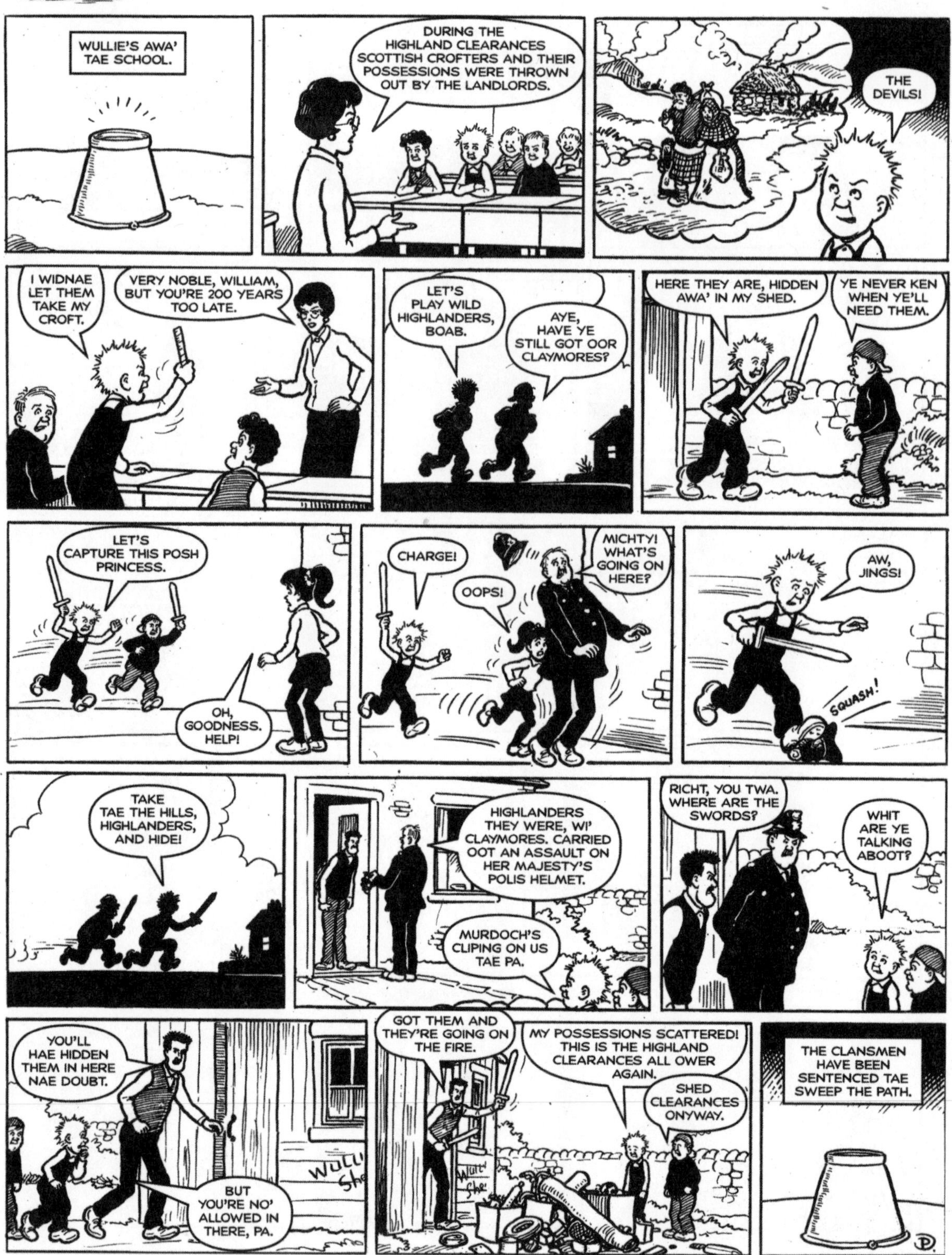
WULLIE'S AWA' TAE SCHOOL.
DURING THE HIGHLAND CLEARANCES SCOTTISH CROFTERS AND THEIR POSSESSIONS WERE THROWN OUT BY THE LANDLORDS.
THE DEVILS!
I WIDNAE LET THEM TAKE MY CROFT.
VERY NOBLE, WILLIAM, BUT YOU'RE 200 YEARS TOO LATE.
LET'S PLAY WILD HIGHLANDERS, BOAB.
AYE, HAVE YE STILL GOT OOR CLAYMORES?
HERE THEY ARE, HIDDEN AWA' IN MY SHED.
YE NEVER KEN WHEN YE'LL NEED THEM.
LET'S CAPTURE THIS POSH PRINCESS.
OH, GOODNESS. HELP!
CHARGE!
OOPS!
MICHTY! WHAT'S GOING ON HERE?
AW, JINGS!
SQUASH!
TAKE TAE THE HILLS, HIGHLANDERS, AND HIDE!
HIGHLANDERS THEY WERE, WI' CLAYMORES. CARRIED OOT AN ASSAULT ON HER MAJESTY'S POLIS HELMET.
MURDOCH'S CLIPING ON US TAE PA.
RICHT, YOU TWA. WHERE ARE THE SWORDS?
WHIT ARE YE TALKING ABOOT?
YOU'LL HAE HIDDEN THEM IN HERE NAE DOUBT.
BUT YOU'RE NO' ALLOWED IN THERE, PA.
GOT THEM AND THEY'RE GOING ON THE FIRE.
MY POSSESSIONS SCATTERED! THIS IS THE HIGHLAND CLEARANCES ALL OWER AGAIN.
SHED CLEARANCES ONYWAY.
THE CLANSMEN HAVE BEEN SENTENCED TAE SWEEP THE PATH.

WULLIE AND BOAB ARE A CARTIE CREW
THAT DO A FLYING PET RESCUE.

WULLIE'S FOLLOWED THAT AROMA TAE THE KITCHEN.

BRAW! MA'S MADE A DUMPLING.

I'LL TAKE A WEE BIT OOT AND TASTE IT LIKE FOWK DAE WI' GUID CHEESE.

WHIT A LADDIE.

MOOSES DINNA GET DUMPLING, JEEMY. IT'LL BE OWER RICH FOR YE.

YOU'RE OWER GREEDY, YE MEAN.

HERE'S YOUR FIVE-A-DAY FRUIT AND VEG.

BLEUCH!

THE PEAS ARE GUID - I CAN SPIT THEM FURTHER THAN THE OTHER VEG.

LATER -

WHAT'S UP, HARRY? DAE YOU WANT ME TAE COME AND SEE SOMETHING?

THIS WORKS IN THE LASSIE FILMS.

BARK!

SCRAPE!

MICHTY! JEEMY'S COLLAPSED. I'LL GET FAT BOAB AND HIS FAST CARTIE.

MOAN!

FULL SPEED AHEAD TAE THE VET, BOAB.

IS IT BAD, MR VET?

NO, HE'S OVEREATEN, WULLIE.

PROD!

HOW DID THAT HAPPEN? MAYBE A MOOSE SHOULD HAE JUST THREE PORTIONS O' FRUIT AND VEG A DAY.

YE THINK?

AFTER ALL YOUR EXCITEMENT YOU CAN HAE A SLICE O' DUMPLING EACH.

AYE, WORRY MAKES YE AWFY HUNGRY.

CRIVVENS! MY DUMPLING'S HOLLOW.

A CERTAIN WEE RODENT CRAWLED INTAE IT AND ATE IT FRAE THE INSIDE OOT.

WHA? ME? BURP!

MOVE IT, MOOSE, OR I'LL BITE YER TAIL.

JEEMY IS ON A FITNESS PROGRAMME. AND HARRY IS THE INSTRUCTOR.

WULLIE'S GETTING HIS ENGINE REVVIN' - HIS KILTWALK TEAM IS IN TRAININ'.

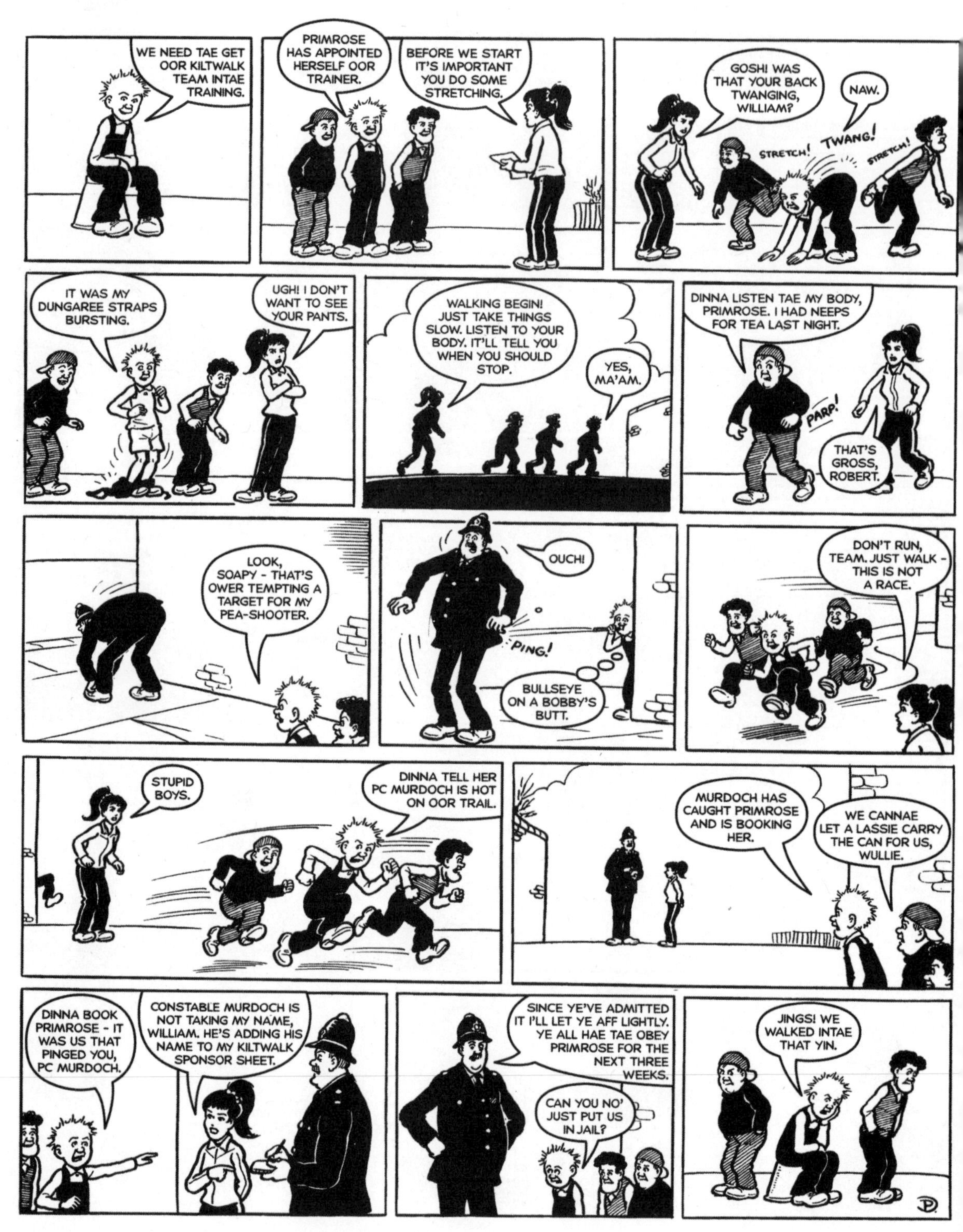

WE NEED TAE GET OOR KILTWALK TEAM INTAE TRAINING.
PRIMROSE HAS APPOINTED HERSELF OOR TRAINER.
BEFORE WE START IT'S IMPORTANT YOU DO SOME STRETCHING.
GOSH! WAS THAT YOUR BACK TWANGING, WILLIAM?
NAW.
STRETCH!
TWANG!
STRETCH!
IT WAS MY DUNGAREE STRAPS BURSTING.
UGH! I DON'T WANT TO SEE YOUR PANTS.
WALKING BEGIN! JUST TAKE THINGS SLOW. LISTEN TO YOUR BODY. IT'LL TELL YOU WHEN YOU SHOULD STOP.
YES, MA'AM.
DINNA LISTEN TAE MY BODY, PRIMROSE. I HAD NEEPS FOR TEA LAST NIGHT.
PARP!
THAT'S GROSS, ROBERT.
LOOK, SOAPY - THAT'S OWER TEMPTING A TARGET FOR MY PEA-SHOOTER.
OUCH!
PING!
BULLSEYE ON A BOBBY'S BUTT.
DON'T RUN, TEAM. JUST WALK - THIS IS NOT A RACE.
STUPID BOYS.
DINNA TELL HER PC MURDOCH IS HOT ON OOR TRAIL.
MURDOCH HAS CAUGHT PRIMROSE AND IS BOOKING HER.
WE CANNAE LET A LASSIE CARRY THE CAN FOR US, WULLIE.
DINNA BOOK PRIMROSE - IT WAS US THAT PINGED YOU, PC MURDOCH.
CONSTABLE MURDOCH IS NOT TAKING MY NAME, WILLIAM. HE'S ADDING HIS NAME TO MY KILTWALK SPONSOR SHEET.
SINCE YE'VE ADMITTED IT I'LL LET YE AFF LIGHTLY. YE ALL HAE TAE OBEY PRIMROSE FOR THE NEXT THREE WEEKS.
CAN YOU NO' JUST PUT US IN JAIL?
JINGS! WE WALKED INTAE THAT YIN.

OOR KILTWALK HEROES ARE UNDER ATTACK - WHO WILL DRIVE THIS ENEMY BACK?

WULLIE'S GETTING READY FOR THE GLASGOW KILTWALK.
THIS IS MY AIN OOR WULLIE TARTAN.
SINCE WE'RE WEARING KILTS LET'S WALK AS HIELAND WARRIORS, BOAB.
AYE, WI' CLAYMORES.
DON'T FORGET ABOUT ME. YOU SAID I COULD WALK WITH YOU, WILLIAM.
YOU CANNAE BE A WARRIOR SO YOU CAN CARRY OOR WATER AND PLASTERS AND STUFF.
YOU ARE SUCH BOYS!
ON THE BONNIE BANKS O' LOCH LOMOND -
TRY TAE KEEP UP WI' US.
WE'RE LIKE A CLAN GOING TAE DO BATTLE.
STUPID BOYS AT THAT.
HOLD IT, LADS - THE ENEMY ARE UP AHEAD.
WHO ARE THEY?
THE MIDGES!
THEY'LL BE NAE MATCH FOR US.
BRING IT ON, YE WEE BUGS.
THERE'S THOOSANDS O' THEM.
STAND ASIDE, BOYS!
RETREAT! WE'RE BEING EATEN ALIVE.
THEY'RE UP MAH KILT.
MIDGES CAN'T STAND MY 'SKIN SO TOUGH' FOOT SPRAY. IT'S LEMON AND MELON.
NAE WONDER! WHAT A PONG!
MY FEET ARE SORE BUT THIS HAS BEEN FUN, BOYS.
YOU USED YOUR FOOT SPRAY TAE SAVE US, PRIMROSE.
SO NOW WE'LL HELP YOU.
KILTWALK FINISH
COME AND SOAK YER FEET IN MAH BUCKET.
IT'S BRAW COLD LOCH LOMOND WATER.
I'M NOT PUTTING MY FEET BESIDE YOURS IN THAT SMELLY OLD BUCKET! GROSS!

THE SCHOOL FLOORS ARE POLISHED, SO -
WULLIE'S BOOTS WILL HAVE TAE GO.
HE'S AT SCHOOL.
SHOES OFF, BOYS AND GIRLS. THE FLOORS HAVE JUST BEEN POLISHED AND THE SCHOOL DOESN'T WANT THEM SCUFFED.
TAKE MY BOOTS AFF? I'M VERY ATTACHED TAE MY BOOTS, MISS.
AYE, BY TWA BITS OF STRING YOU CALL LACES.
YOU SHOULD CALL HEALTH AND SAFETY - THERE'S GOING TAE BE A LOT OF NOXIOUS GASSES AROUND HERE.
UGH! WHAT A SMELL.
PILE THE SHOES THERE UNTIL HEALTH AND SAFETY BRING AN AIR TIGHT CONTAINER.
CRIVVENS! MY SOCKS ARE FULL OF HOLES. THANK GOODNESS MA'S NO' HERE.
WATCH OOT, WULLIE.
HELP MAH BOAB! IT'S A FLYING SOAPY.
CHEER UP, WULLIE - THE POLISHED FLAIRS ARE GREAT FOR SLIDING IN YER SOCKS.
I'LL HAE A GO AT THAT.
CHECK OOT THIS TWIRL, PRIMROSE.
THAT LOOKS LIKE BALLET, WILLIAM. I'LL PUT ON MY TUTU AND PARTNER YOU.
NAE WAY, JOSE! THAT WOULD BE TOO-TOO SOPPY FOR ME.
OOPS!
WILLIAM!
CRASH!
GO TO THE STAFF ROOM AND BORROW MY OLD SLIPPERS. THAT'LL STOP YOUR NONSENSE.
AW!
HA! HA! LOOK AT THE FLUFFY BAFFIES.
WHAT A SAFTIE!
THESE ARE NO' BAFFIES - THEY'RE 'BIFFIES'!
OUCH! DINNA DAE THAT!
IT'S THE HEALTH AND SAFETY INSPECTOR-
I HAVE TO REPORT THAT YOUR FLOORS ARE TOO POLISHED - THERE'S A RISK OF INJURY.
AS A TEMPORARY MEASURE THE CHILDREN WILL BE ISSUED WITH NON-SLIP FOOTWEAR.
BETTER SAFE THAN SORRY.
ANTI-SLITHER
FOOTWEAR
HERE YOU ARE, BOYS.
WOULD YOU BELIEVE IT - WE'VE BEEN ISSUED WI' BRAW BOOTS.
SIGH! SAFETY BOOTS, WILLIAM.
THE MANNIE THINKS MY AULD TACKETTY CLOMPERS SHOULD BE CONDEMNED.

WULLIE THINKS THAT HIS TEACHER MIGHT BE A TIM'ROUS WEE CREATURE.

YOU GUARD MY BUCKET WHILE I'M AT SCHOOL, JEEMY.
SQUEAK! SQUEAK!
WE'VE GOT A NEW TEACHER THIS MORNIN'.
OH, AYE? WHAT'S SHE LIKE?
SHE'S A MOUSEY WEE WOMAN.
WHAT? SHE LOOKS LIKE A MOOSE?
HELLO, CLASS. I'M MRS TRAPP.
THAT'S A MOUSEY NAME - MOUSE TRAP.
DID I HEAR SOMEONE SPEAK?
SHE MUST HAE BIG LUGS - THAT'S LIKE A MOOSE TAE.
I'M HUNGRY.
YOU'LL GET CAUGHT, WULLIE.
I THOUGHT I SMELLED FOOD, BOY.
NO EATING IN CLASS. YOU'LL GET THIS BACK AT LUNCHTIME.
SHE SMELLED IT BECAUSE IT'S A CHEESE ROLL. JUST LIKE A MOOSE WOULD DAE.
YOU'RE RICHT, BOAB. SHE IS A MOOSE WOMAN.
I JUST MEANT THE COLOUR O' HER HAIR WAS MOUSEY.
LISTEN - SHE'S SQUEAKIN' NOW.
SKREEK!
THAT'S THE CHALK ON THE BLACKBOARD.
BOAB WAS RIGHT. OOR TEACHER'S A MOOSE.
IN HISTORY WE SHALL STUDY JULIUS CHEESER.
I DINNA MEAN TAE TAKE THE MICKEY, MISS. BUT ARE YOU REALLY A MOOSE?
YOU CHEEKY BOY. I'M GOING TO PHONE YOUR FATHER.
CRIVVENS! WHAT HAE YOU DONE, WULLIE?
GIVING THE TEACHER CHEEK. YOU'RE IN TROUBLE NOW, BOY.
I'VE MADE A 'MOOSE' TAKE, PA.
I MIGHT HAVE KNOWN.
I KNOW THAT VOICE.
IT'S MOOSIE TRAPP, MY AULD TEACHER.
SO THAT'S WHERE WILLIAM GETS HIS NAUGHTY IDEAS. YOU ALWAYS WERE A CHEEKY BOY.
HA! HA! THERE'S NO' BEEN A SQUEAK OOT O' PA SINCE.

THE BOYS MUST FACE THE RAP
FOR CATCHING THE POLISMAN IN THEIR TRAP.

WE'RE GOING TAE THE RUGBY TRIALS TAE SPOT SCOTLAND STARS O' THE FUTURE.
THERE GOES MURPHY - HE'S A BRAW PLAYER.
MICHTY! WHAT'S HAPPENED?
TRIP!
IT'S THE BOOTS! MURPHY MAY BE ONLY FOURTEEN BUT HIS FEET ARE SIZE SIXTEEN. WE CAN'T FIND BOOTS TO FIT HIM.
WE KEN SOMEBODY WHO COULD HELP.
AYE.
AYE.
PC MURDOCH'S ON THE BEAT, WI' HIS SIZE SIXTEEN FEET.
I'LL SET A TRAP WI' THIS SHINY BIT O' METAL.
THIS BIT O' STOORIE BURN IS ON MURDOCH'S BEAT.
HMM! THAT LOOKS AWFY LIKE A FIFTY PENCE IN THERE.
OCH! IT'S JUST A PIECE O' SHINY METAL.
GOT THEM!
YOU CAN PLAY OOT THE TRIAL IN POLIS BOOTS, MURPHY.
THANKS, GUYS!
A WORD WI' YE, GENTLEMEN.
CRIVVENS! PC MURDOCH!
WE DIDNAE HEAR HIM COS HE'S WEARING SLIPPERS.
YE'RE A' UNDER ARREST.
RUN LIKE FUN, BOYS! HE'S FASTER IN HIS SLIPPERS.
THEY'RE STILL RUNNING YET.

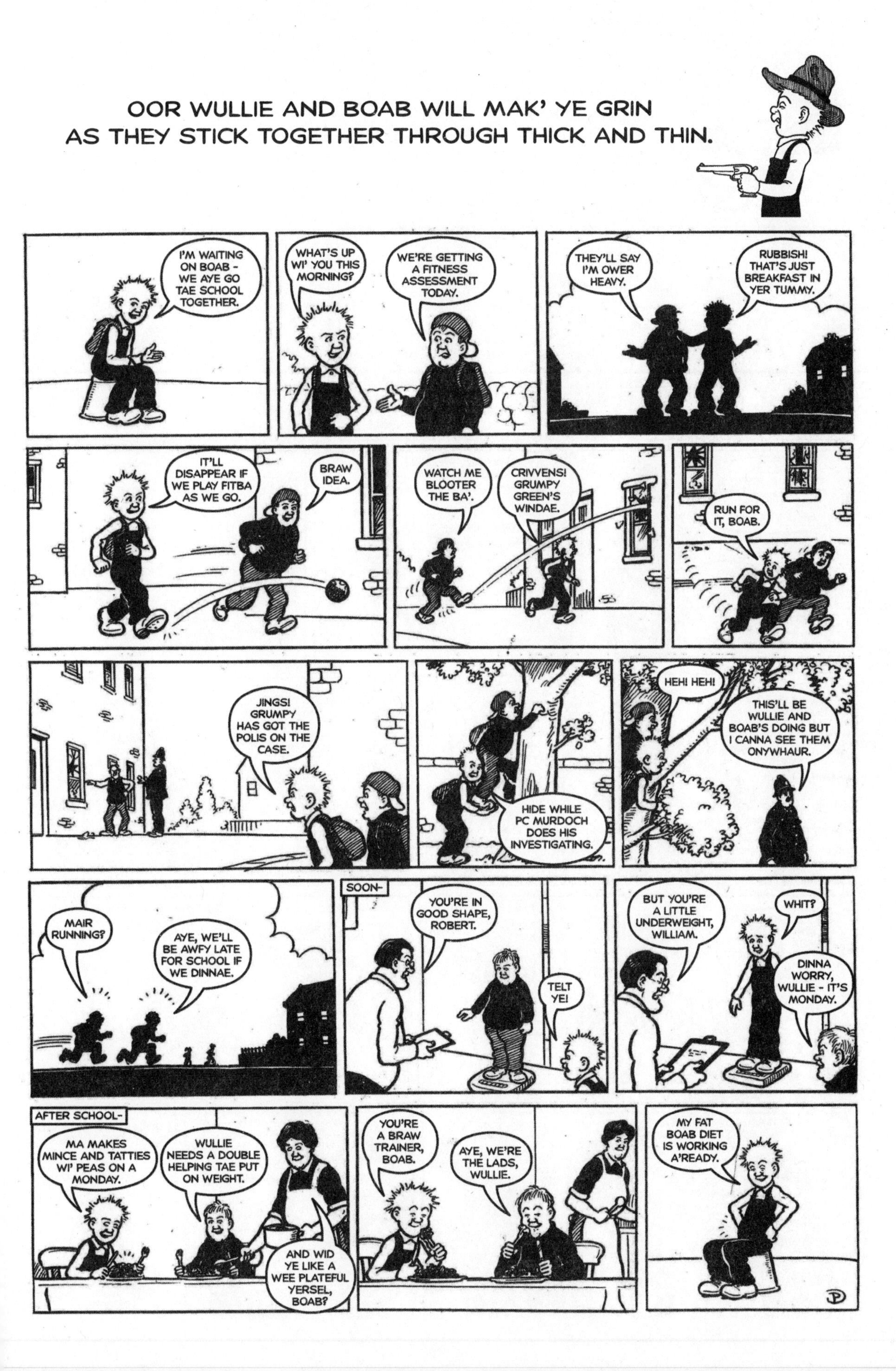
OOR WULLIE AND BOAB WILL MAK' YE GRIN
AS THEY STICK TOGETHER THROUGH THICK AND THIN.
I'M WAITING ON BOAB - WE AYE GO TAE SCHOOL TOGETHER.
WHAT'S UP WI' YOU THIS MORNING?
WE'RE GETTING A FITNESS ASSESSMENT TODAY.
THEY'LL SAY I'M OWER HEAVY.
RUBBISH! THAT'S JUST BREAKFAST IN YER TUMMY.
IT'LL DISAPPEAR IF WE PLAY FITBA AS WE GO.
BRAW IDEA.
WATCH ME BLOOTER THE BA'.
CRIVVENS! GRUMPY GREEN'S WINDAE.
RUN FOR IT, BOAB.
JINGS! GRUMPY HAS GOT THE POLIS ON THE CASE.
HIDE WHILE PC MURDOCH DOES HIS INVESTIGATING.
HEH! HEH!
THIS'LL BE WULLIE AND BOAB'S DOING BUT I CANNA SEE THEM ONYWHAUR.
MAIR RUNNING?
AYE, WE'LL BE AWFY LATE FOR SCHOOL IF WE DINNAE.
SOON-
YOU'RE IN GOOD SHAPE, ROBERT.
TELT YE!
BUT YOU'RE A LITTLE UNDERWEIGHT, WILLIAM.
WHIT?
DINNA WORRY, WULLIE - IT'S MONDAY.
AFTER SCHOOL-
MA MAKES MINCE AND TATTIES WI' PEAS ON A MONDAY.
WULLIE NEEDS A DOUBLE HELPING TAE PUT ON WEIGHT.
AND WID YE LIKE A WEE PLATEFUL YERSEL, BOAB?
YOU'RE A BRAW TRAINER, BOAB.
AYE, WE'RE THE LADS, WULLIE.
MY FAT BOAB DIET IS WORKING A'READY.

WULLIE FINDS A COOL SOLUTION TO NOT BREAKING HIS RESOLUTION.

WULLIE! A WORD WI' YE, PLEASE.
CRIVVENS! I SURELY CANNA BE IN TROUBLE ALREADY THIS YEAR.
DID YOU ON THE NICHT O' 31ST DECEMBER, MAKE A NEW YEAR RESOLUTION NOT TAE KNOCK MY POLIS HAT OFF.
AYE.
JUST CHECKING BEFORE I START WEARING MY AULD FASHIONED POLIS HELMET AGAIN.
AW, THAT'S NO' FAIR.
REMEMBER TAE KEEP THAT RESOLUTION, WULLIE.
THAT HELMET IS THE FINEST TARGET IN AUCHENSHOOGLE.
I JUST CANNA HELP THIS.
SNAP!
YOU MUST NOT BREAK A RESOLUTION SO SOON, WILLIAM.
OCH, SILLY WUMAN!
YOU DIDNAE MAKE A STUPID NEW YEAR'S RESOLUTION, BOAB. SO YOU CAN KNOCK MURDOCH'S HELMET AFF.
HEH! HEH! STAND BACK - I'VE GOT THIS AULD APPLE.
YOU'RE A HOPELESS SHOT - YOU'VE MISSED MURDOCH BY A MILE.
WORSE THAN THAT - I'VE HIT OOR HEIDMASTER.
HOWL!
YOU TWO WILL COME TO MY OFFICE FIRST THING ON MONDAY MORNING!
JINGS! WE'LL BE IN DETENTION A' YEAR.
JUST KEEP RUNNIN'.
I FORGOT HOW HOT THIS AULD HELMET WAS TAE WEAR.
IT'S HOT WORK RUNNING TAE. I'M HAVIN' A DRINK O' WATER.
I'LL SHARE MY WATER WI' PC MURDOCH.
SPLOSH!
ARRGH! THAT'S CAULD!
GET READY TAE RUN AGAIN, BOAB.
HA! HA! AND I DIDNAE BREAK MY RESOLUTION.

STAND BY FOR RACING FUN –
IT'S THE AUCHENSHOOGLE FORMULA ONE.

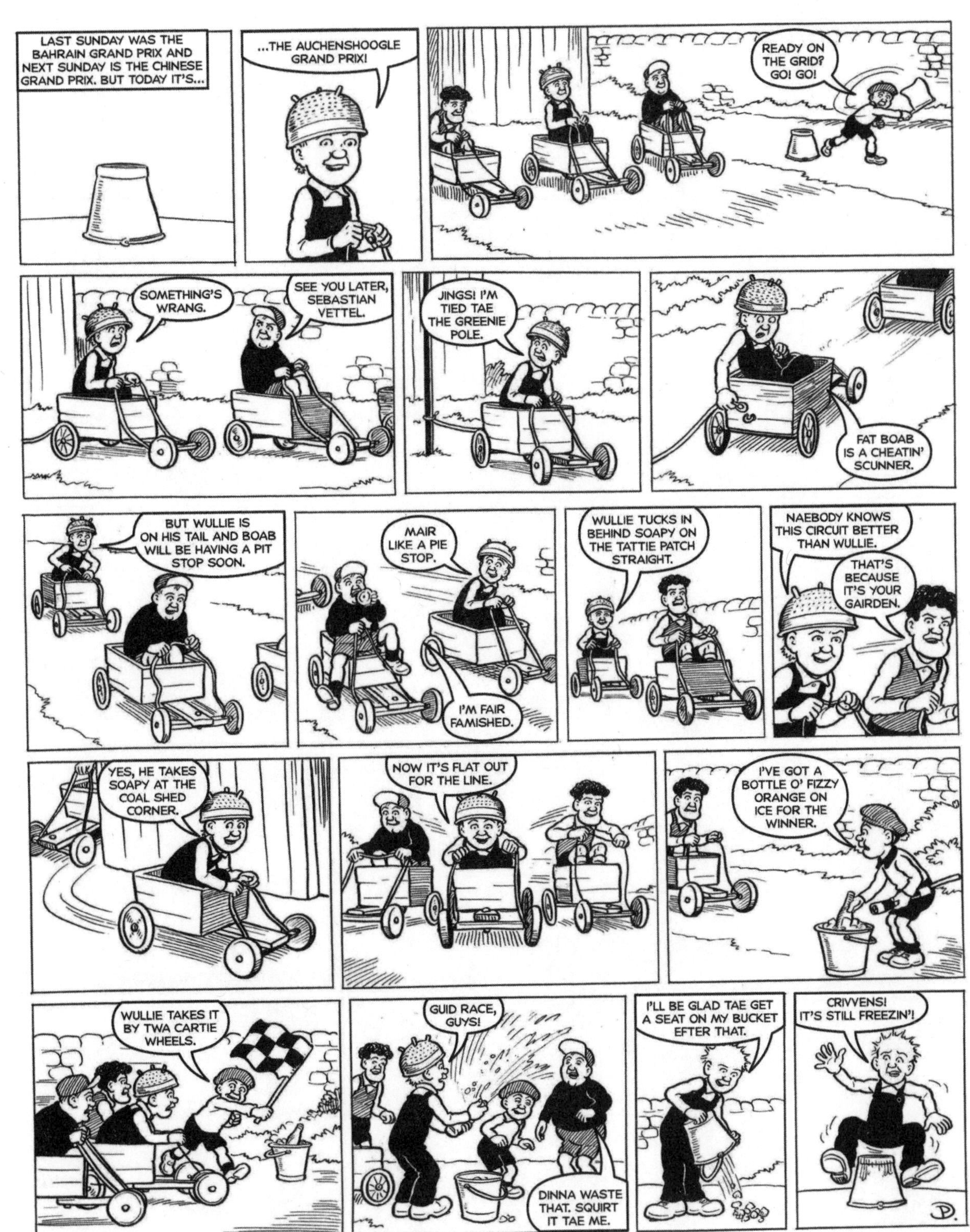

LAST SUNDAY WAS THE BAHRAIN GRAND PRIX AND NEXT SUNDAY IS THE CHINESE GRAND PRIX. BUT TODAY IT'S...
...THE AUCHENSHOOGLE GRAND PRIX!
READY ON THE GRID? GO! GO!
SOMETHING'S WRANG.
SEE YOU LATER, SEBASTIAN VETTEL.
JINGS! I'M TIED TAE THE GREENIE POLE.
FAT BOAB IS A CHEATIN' SCUNNER.
BUT WULLIE IS ON HIS TAIL AND BOAB WILL BE HAVING A PIT STOP SOON.
MAIR LIKE A PIE STOP.
I'M FAIR FAMISHED.
WULLIE TUCKS IN BEHIND SOAPY ON THE TATTIE PATCH STRAIGHT.
NAEBODY KNOWS THIS CIRCUIT BETTER THAN WULLIE.
THAT'S BECAUSE IT'S YOUR GAIRDEN.
YES, HE TAKES SOAPY AT THE COAL SHED CORNER.
NOW IT'S FLAT OUT FOR THE LINE.
I'VE GOT A BOTTLE O' FIZZY ORANGE ON ICE FOR THE WINNER.
WULLIE TAKES IT BY TWA CARTIE WHEELS.
GUID RACE, GUYS!
DINNA WASTE THAT. SQUIRT IT TAE ME.
I'LL BE GLAD TAE GET A SEAT ON MY BUCKET EFTER THAT.
CRIVVENS! IT'S STILL FREEZIN'!

SUPER MIX

DISAPPEARING IN THE NIGHT
CAN GIE YER MA AN AWFY FRIGHT.

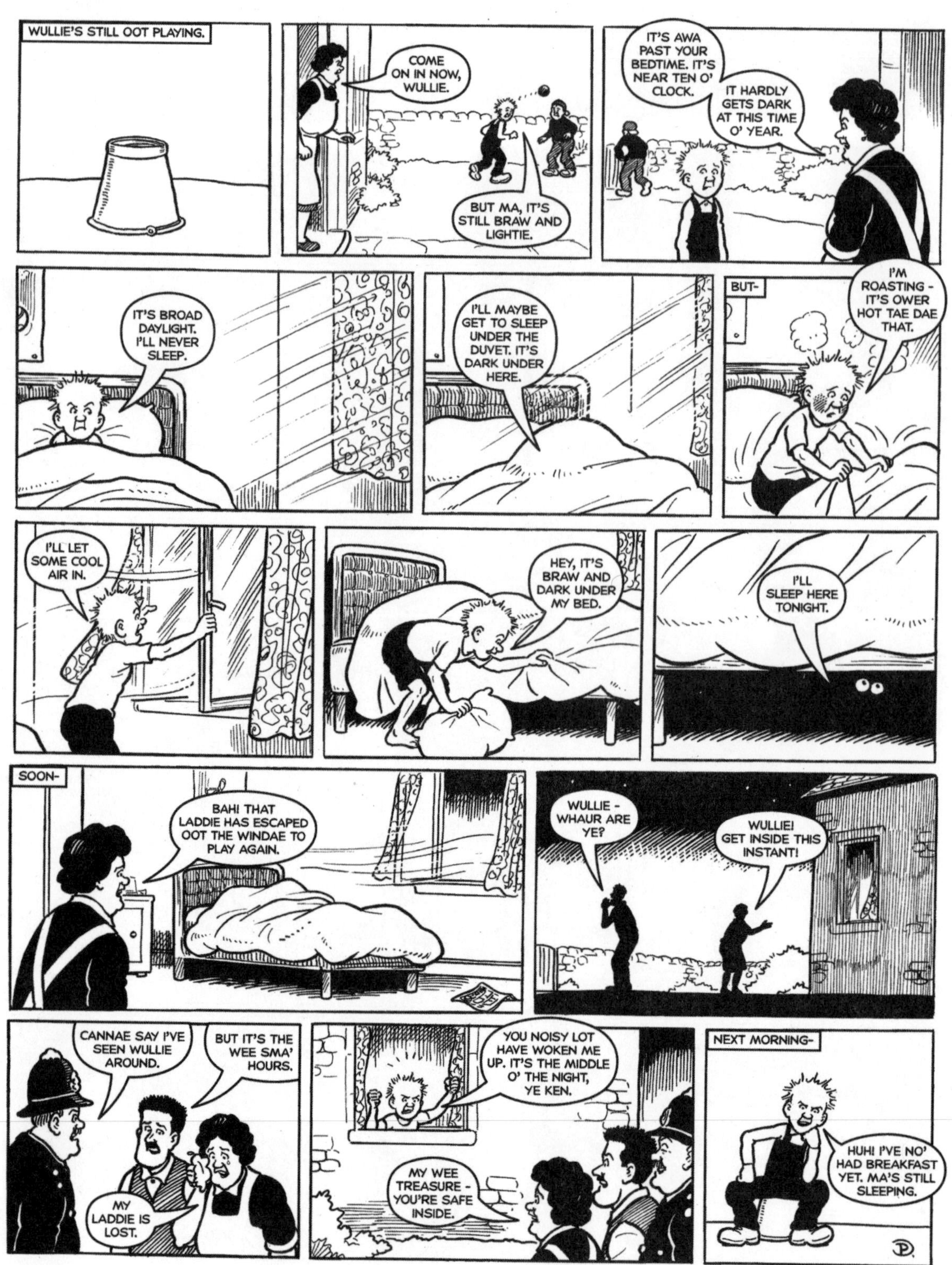

WULLIE'S STILL OOT PLAYING.
COME ON IN NOW, WULLIE.
BUT MA, IT'S STILL BRAW AND LIGHTIE.
IT'S AWA PAST YOUR BEDTIME. IT'S NEAR TEN O' CLOCK.
IT HARDLY GETS DARK AT THIS TIME O' YEAR.
IT'S BROAD DAYLIGHT. I'LL NEVER SLEEP.
I'LL MAYBE GET TO SLEEP UNDER THE DUVET. IT'S DARK UNDER HERE.
BUT-
I'M ROASTING - IT'S OWER HOT TAE DAE THAT.
I'LL LET SOME COOL AIR IN.
HEY, IT'S BRAW AND DARK UNDER MY BED.
I'LL SLEEP HERE TONIGHT.
SOON-
BAH! THAT LADDIE HAS ESCAPED OOT THE WINDAE TO PLAY AGAIN.
WULLIE - WHAUR ARE YE?
WULLIE! GET INSIDE THIS INSTANT!
CANNAE SAY I'VE SEEN WULLIE AROUND.
BUT IT'S THE WEE SMA' HOURS.
MY LADDIE IS LOST.
YOU NOISY LOT HAVE WOKEN ME UP. IT'S THE MIDDLE O' THE NIGHT, YE KEN.
MY WEE TREASURE - YOU'RE SAFE INSIDE.
NEXT MORNING-
HUH! I'VE NO' HAD BREAKFAST YET. MA'S STILL SLEEPING.

MURDOCH FROWNS, SO IT APPEARS,
ON LADS WI' THINGS STUCK IN THEIR EARS.

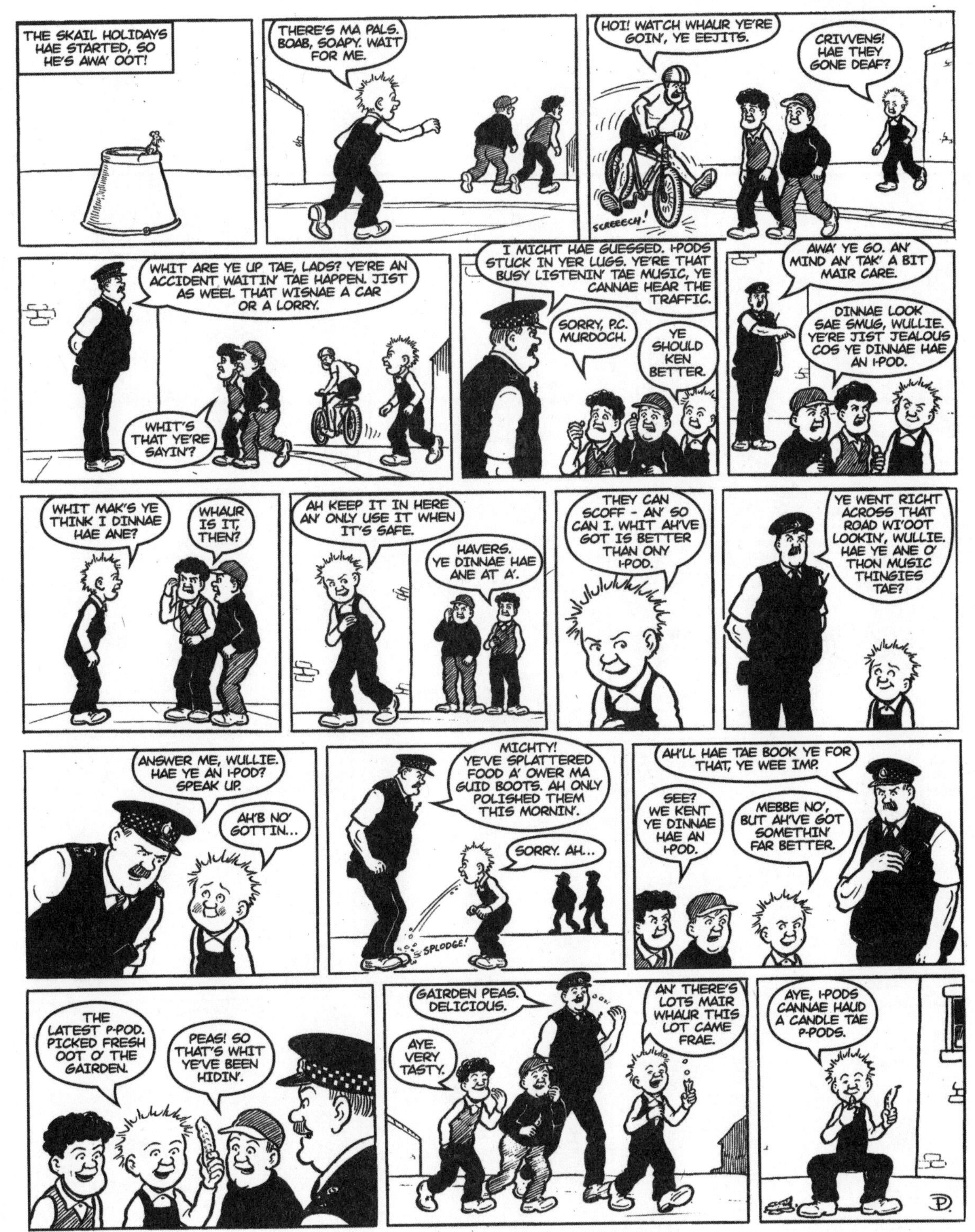

THE SKAIL HOLIDAYS HAE STARTED, SO HE'S AWA' OOT!
THERE'S MA PALS. BOAB, SOAPY. WAIT FOR ME.
HOI! WATCH WHAUR YE'RE GOIN', YE EEJITS.
CRIVVENS! HAE THEY GONE DEAF?
SCREEECH!
WHIT ARE YE UP TAE, LADS? YE'RE AN ACCIDENT WAITIN' TAE HAPPEN. JIST AS WEEL THAT WISNAE A CAR OR A LORRY.
WHIT'S THAT YE'RE SAYIN'?
I MICHT HAE GUESSED. I-PODS STUCK IN YER LUGS. YE'RE THAT BUSY LISTENIN' TAE MUSIC, YE CANNAE HEAR THE TRAFFIC.
SORRY, P.C. MURDOCH.
YE SHOULD KEN BETTER.
AWA' YE GO. AN' MIND AN' TAK' A BIT MAIR CARE.
DINNAE LOOK SAE SMUG, WULLIE. YE'RE JIST JEALOUS COS YE DINNAE HAE AN I-POD.
WHIT MAK'S YE THINK I DINNAE HAE ANE?
WHAUR IS IT, THEN?
AH KEEP IT IN HERE AN' ONLY USE IT WHEN IT'S SAFE.
HAVERS. YE DINNAE HAE ANE AT A'.
THEY CAN SCOFF - AN' SO CAN I. WHIT AH'VE GOT IS BETTER THAN ONY I-POD.
YE WENT RICHT ACROSS THAT ROAD WI'OOT LOOKIN', WULLIE. HAE YE ANE O' THON MUSIC THINGIES TAE?
ANSWER ME, WULLIE. HAE YE AN I-POD? SPEAK UP.
AH'B NO' GOTTIN...
MICHTY! YE'VE SPLATTERED FOOD A' OWER MA GUID BOOTS. AH ONLY POLISHED THEM THIS MORNIN'.
SORRY. AH...
SPLODGE!
AH'LL HAE TAE BOOK YE FOR THAT, YE WEE IMP.
SEE? WE KENT YE DINNAE HAE AN I-POD.
MEBBE NO', BUT AH'VE GOT SOMETHIN' FAR BETTER.
THE LATEST P-POD. PICKED FRESH OOT O' THE GAIRDEN.
PEAS! SO THAT'S WHIT YE'VE BEEN HIDIN'.
GAIRDEN PEAS. DELICIOUS.
AYE. VERY TASTY.
AN' THERE'S LOTS MAIR WHAUR THIS LOT CAME FRAE.
AYE, I-PODS CANNAE HAUD A CANDLE TAE P-PODS.

OOR WULLIE'S PAL IS NOT TO BE,
PLAYING ON THE BEACH BY THE SEA.

NAE BUCKET, NAE WULLIE.
WE'RE OFF TAE THE SEASIDE FOR OOR HOLIDAYS.
I'M GOING TAE BUILD A SANDCASTLE.
STOP THERE! YE'RE NOT TAKING THAT UGLY AULD BUCKET ONTAE THE BEACH.
THERE, I'VE BOUGHT YE A PROPER BEACH BUCKET.
IT'S PLASTIC!
NOT COMFY.
AND NOT STRONG ENOUGH.
CRUMP!
YOU MUST BE THE ONLY LADDIE IN SCOTLAND THAT SITS ON A BUCKET.
I'M GOING TAE FRISBEE THIS ANE.
HOWL!
WHACK!
YOU WEE CRIMINAL!
I'LL HIDE IN HERE TILL THE MANNIE'S HEID STOPS DIRLING.
COME ON IN, MAN. WHAT WOULD YOU LIKE PAINTED ON YOUR FACE?
I DINNA WANT MY FACE PAINTED BUT MY BEST PAL DOES.
I'LL GO AND GET HIM.
THERE! HE'D LIKE A HAPPY BEACH SCENE PAINTED ON HIS FACE.
THIS IS A FIRST - BUT HERE GOES.
SHORTLY-
I GOT MYSEL' A NEW BEACH BUCKET, MA.
IT'S VERY BIG AND COLOURFUL, WULLIE.
ONLY MY AIN BUCKET CAN BUILD A CASTLE THIS SIZE.
AND AT LAST A COMFY SEAT ON THE BEACH.

KICK ME!

AS A PAL WULLIE IS BRAND NEW -
HE REALLY DOES STAND UP FOR YOU.

THIS IS MY LAST DAY AWA' ON HOLIDAY.
WE'RE GOING TAE SEE DARA O'BRIAIN, HE'S A BRAW LAUGH.
DARA O BRIAIN
GAIETY THEATRE
IT'S A SPECIAL TREAT TAE END THE HOLIDAY.
IF WE WERE TRULY CREATED BY GOD, WHY DO WE OCCASIONALLY BITE THE INSIDES OF OUR MOUTHS?
HA! HA! HA!
THAT WAS REALLY FUNNY.
WELL, IT'S BACK TAE AULD CLAES AND PORRIDGE TOMORROW.
NEXT DAY-
I'LL GO AND SEE MY PALS. THEY'VE ALL BEEN ON HOLIDAY TAE.
HOW'S IT GOING, SOAPY?
ROTTEN! I'VE TAE CUT THE GRASS NOW I'M BACK.
WE TOOK THE TRAIN HAME AND THERE'S NAE TAXIS AT THE STATION.
JINGS! POOR YOU, BOAB!
DON'T MENTION HOLIDAY, WILLIAM. I'VE GOT ALL THE HOLIDAY WASHING TO DO.
A'BODY HAS THE HOLIDAY BLUES. BUT I KEN HOW TAE CHEER THEM UP.
I'LL GIE ALL MY PALS A LAUGH.
WULLIE'S COMEDY CLUB
I BROKE A WINDAE THROWING A STANE AT A WASP. I NEVER NOTICED IT WAS INSIDE THE GREENHOOSE.
HEE! HEE!
I'VE A PROBLEM WI' MY PET FLYING FISH.
I DINNA KEN WHETHER TAE BUY IT A BOWL OR A BIRD CAGE.
I BOUGHT A NEW SCARF WHEN I WAS ON HOLIDAY.
BUT I'LL HAVE TAE TAKE IT BACK - IT'S TOO TIGHT.
WULLIE'S GREAT - HE'S CHEERED US.
HA! HA!
I NEED A SEAT EFTER A' THAT STAND-UP COMEDY.

OOR WULLIE CANNA SETTLE
UNLESS HIS SEAT'S MADE O' METAL.

WULLIE'S PACKIN' FOR SPAIN.
YOU'RE NOT TAKIN' DUNGAREES. IT'S OWER HOT IN SPAIN.
AW, MA!
THE FAMILY ARRIVE.
CRIVVENS! MA WAS RICHT - IT'S BAKING.
AT THE HOTEL-
GO AND PUT OUR TOWELS ON SOME LOUNGERS AT THE POOL OR THEY'LL A' BE TAKEN.
OCH, I'M TOO LATE.
IF I WAS BACK HAME I'D WORK A PUDDOCK PRANK NOW.
SOME O' THESE SPEEDY WEE GECKOS MICHT DAE INSTEAD O' PUDDOCKS.
HERE GOES.
EEEK! A BEASTIE!
SQUEAL!
SUCCESS!
THE PLACE IS CRAWLING WITH THEM.
WHIT'S WRANG WI' YOU, WULLIE? CAN YE NOT SIT AT PEACE?
I CANNA SETTLE, MA.
I'M AWA TAE FIND THE HOTEL CLEANERS.
YOU'RE WHIT? HAS THE SUN GONE TAE YOUR HEAD, LADDIE?
CLEANERS THE WORLD OWER USE BUCKETS.
I'VE BORROWED ANE.
I'LL HAE A RARE COMFY SEAT IN THE AFTERNOON NOW.
I GIVE UP WI' YOU, WULLIE. C'MON, WE'RE MEETING PA AT THE CAFE.
BUT AFTER LUNCH-
HOWL!
TOURIST INFORMATION: DINNA LEAVE YOUR BUCKET IN THE MIDDAY SUN.
STILL BILIN!

LIFE IN THE GRAND HOTEL
IS NOT SUITING OOR WULLIE WELL.

WULLIE'S STAYING IN THE GRAND HOTEL FOR HIS HOLIDAYS.
BREAKFAST TIME-
WHAUR'S THE BACON, EGGS AND TATTIE SCONES?
THIS IS A HEALTH RETREAT, WULLIE. WE'RE EATING HEALTHY FOODS TAE DETOX OOR BODIES.
I'M RETREATING AWA OOTSIDE.
DINNA YOU GO EATING RUBBISH NOW.
WHIT BRAW - THE HOTEL GIVES YOU BIKES.
BIKES
CRIVVENS! IT'S HARD TAE PEDAL THIS MACHINE.
PECH!
CAN I HAE A HOT OIL MASSAGE?
HOT OIL MASSAGE
YAIS, YOUNG SIR. IT'S FREE TO ALL OUR GUESTS. DO COME INSIDE.
IT'S NO' FOR ME. IT'S THIS BIKE THAT'S NEEDING THE OIL.
YE WEE MENACE - GET THAT MUCKY THING AFF MAH CLEAN TABLE!
I'LL ENTER THE DONKEY DERBY ON THE BEACH.
YOU TWA LADS LOOK LIKE YE STUDY FORM. SO WHICH IS THE FASTEST DONKEY?
THE WHITE ANE, LADDIE.
IT HELPS TAE HAVE INSIDE INFORMATION WHEN YOU'RE HORSE RACING.
WELL DONE, DONKEY. WE'VE WON.
FIRST PRIZE IS A GIANT CANDY FLOSS.
IT'S NEARLY DENNER TIME. I'D BETTER GET BACK TAE THE HOTEL.
GOOD BOY, WULLIE. THAT'S A REALLY HEALTHY LUNCH YOU HAVE THERE.
BETTER STILL, MA - I'M GOING TAE EAT IT IN THE FRESH AIR.
HEH! HEH! WULLIE DISNAE FORGET ABOOT HIS PALS.

WULLIE MUST BE VERY ILL -
HE'S GONE TAE SCHOOL OF HIS OWN FREE WILL.

WULLIE IS ON HOLIDAY IN SPAIN.
SINCE THIS IS THE LAST DAY OF OOR HOLIDAY, WE'RE GOING TAE A POSH RESTAURANT TONIGHT.
THAT SOUNDS BRAW.
COME ON, WULLIE - WE'RE HAVING A WATER FIGHT AGAINST THE GIRLS IN THE POOL.
THAT'LL BE A HOOT.
BUT I CANNA - I'VE SOME SWOTTING TAE DAE.
SCHOOL WORK? ON HOLIDAY?
ARE YE FEELING NO WEEL, SON? HAVE YE BEEN OOT IN THE SUN OWER LONG?
I'M FINE. I JUST WANT TAE STUDY THIS BOOK.
HEY, WULLIE - THE HOTEL HAS GOT A NEW TRAMPOLINE. YOU CAN BE FIRST TO USE IT.
SORRY, BUT I'VE AN APPOINTMENT IN THE TOWN.
THIS IS NO' LIKE WULLIE AT ALL.
WHAUR IS HE OFF TAE? I'LL FOLLOW HIM.
HE'S GOING TAE A SCHOOL - HE NEVER WANTS TAE GO TAE SCHOOL.
SI?
ER, I'M JUST CHECKING THAT MY LADDIE IS OKAY.
I'M FINE, MA. LEAVE ME IN PEACE TAE LEARN.
THAT NIGHT-
WHAT WILL WE HAE?
THE MENU IS A' IN SPANISH HERE.
I'LL ORDER FIRST.
CARNE PICADA Y PATATAS POR FAVOR.
ER, AYE - WE'LL ALL HAE THAT.
WHEN DID YOU LEARN THAT?
THAT'S WHAT I WAS DOING TODAY.
LEARNING HOW TAE ASK FOR MINCE AND TATTIES IN SPANISH.
MICHTY! TRUST OOR WULLIE.

POOR AULD MA LOSES THE HEAD
AT WHAT SHE FINDS UNDER WULLIE'S BED.

WULLIE!

WULLIE! I'VE GOT CHORES FOR YOU! AND WHAT ARE YOU DOING UNDER THERE?

THIS BEDROOM IS A MIDDEN. AND IT SMELLS LIKE A MIDDEN TAE.

REALLY? I NEVER NOTICED.

AND THE STINK IS COMING FRAE UNDER HERE. YEEUCH!

IT'S NO' FINE TAE GO POKING ABOOT UNDER A LADDIE'S BED.

SO THIS IS WHERE YOUR SOCKS KEEP DISAPPEARING TAE? SOME ARE SO SMELLY THEY'RE MOVING ON THEIR AIN.

NAW, THAT'S JUST JEEMY INSIDE A SOCK.

YOUR MOOSE? THIS JUST GETS WORSE.

JEEMY LIKES ME TAE LEAVE MY SOCKS UNDER THERE FOR TWA MONTHS. TILL THEY SMELL LIKE RIPE CHEESE.

WULLIE, YOU'RE LIVING IN A PIG STY.

I'M GOING TAE DISINFECT THIS ROOM MYSEL'.

BUT YOU'RE NO' AFF THE HOOK - AWAY OOT AND CUT THE GRASS. AND YER MOOSE CAN HELP YE.

MICHTY! WE WERE IN SPAIN FOR TWA WEEKS AND THE GRASS HAS GROWN INTAE A JUNGLE.

Wullie's Shed

I HATE PUSHING THAT AULD MOWER. I'D BE QUICKER WITH A PAIR OF SCISSORS.

I'LL USE PA'S BATTERY POWERED CLIPPERS. HE USES THEM TAE CUT THE GREY HAIRS OOT HIS HEID.

THE VERY DAB!

AN HOUR LATER-

CRIVVENS! I'VE ONLY CUT A SIX INCH SQUARE. I'LL BE CUTTING TILL THE MIDDLE O' NEXT WEEK.

I HAVE MANAGED TAE GIVE THIS HAIRY CATERPILLAR A SHORT BACK AND SIDES THOUGH.

WHAT ARE WE GONNA DAE, JEEMY? IF ONLY GRASS WAS CHEESE FLAVOURED THEN YOU'D EAT IT.

JEEMY, THAT'S IT! YOU'RE A JEENYASS.

NAW, I'M A JEEMYASS.

THIS IS A GRAND IDEA, WULLIE. MY PRIZE GOAT WAS JUST NEEDING A TASTE O' FRESH GRASS. HE'LL MAKE YER LAWN DISAPPEAR IN A FLASH.

FASTER THE BETTER IN CASE MA LOOKS OOT.

THE FERMER EVEN PAID US FOR FEEDING HIS GOAT.

I'M GOING TAE BUY JEEMY SOMETHING CHEESY SINCE HE'S LOST HIS SOCK COLLECTION.

WULLIE DOESN'T WANT TO BE - A STAR ON THE KEEPER'S TV.

THE FISHING SEASON IS OPEN. TIME TAE GET MY ROD OOT.
THERE'S A NEW GAMEKEEPER, WULLIE. HE'LL CATCH YE FOR SURE.
NO' IF HE DISNAE SEE ME.
AND I'M BRAW AT NO' BEING SEEN.
HALT, BOY! YOU DON'T HAVE PERMISSION TO FISH HERE!
THE NEW KEEPER! WHAUR DID HE COME FRAE?
I'VE PUT UP A SECURITY CAMERA. I SPOTTED YOU ON MY SCREEN AT HOME WHILE I WAS HAVING MY BREAKFAST.
CRIVVENS!
SO NO POACHING FOR YOU THIS YEAR, BOY.
YOU'VE GOT ME BEATEN. I'M GOING TO TAKE UP A NEW HOBBY.
AT HOME-
PAINTING, I'M RICHT BRAW AT ART.
YE'VE NAE LAW TAE STOP A LAD PAINTING SURELY?
NO, BUT I DON'T TRUST YOU. I'LL STILL WATCH YOU ON MY KEEPER CAM.
I'LL NEED TAE BE QUICK WHILE THE KEEPER IS WALKING HAME.
HEH! HEH! HE'LL JUST SEE MY BONNIE PICTURE ON HIS SCREEN.
IN THE KEEPER'S LODGE-
THAT BOY MUST HAVE GIVEN UP AND GONE HOME.
I CAN TAKE MY TIME AND CATCH SOME TROOT NOW.
JINGS, WULLIE. YE'VE CAUGHT A PAIR O' BEAUTIES THERE.
GRANPAW BROON AYE SAID THAT FISHING WAS AN ART. HA! HA!

WULLIE'S GANG THINK IT'S BRAW
TO OUTWIT AUCHENSHOOGLE'S LAW.
WULLIE'S OOT RUNNING WILD.
A SPIKY HAIRED LADDIE WEARING DUNGAREES MUDDIED MY SHEET.
I THINK I KNOW THE CULPRIT.
A PLUMP BOY WITH A CAP ATE THE FRUIT CAKE I PUT OUT FOR THE BIRDS.
HE'S KNOWN TAE ME.
A BOY DREW THIS. HE HAD A HEAD OF BLACK CURLY HAIR.
SNEAKY SIMPSON IS A CLIPE AND HIS FEET ARE SUPER RIPE
AYE, HE'S ANE O' THE GANG.
WE'RE ON THE RUN FRAE THE LAW.
WE'LL HIDE OOT AT SPOOKY CAVE, MEN.
PC MURDOCH WILL BE TOO FEART TAE GO THERE.
IS THAT A FACT?
AYE.
THE CAVE IS SAID TAE BE HAUNTED BUT WE'RE NO' FEART.
THAT'S JUST A STORY TAE KEEP FOWK AWAY.
WHAAAAIIIL!
MICHTY? WHIT'S THAT?
SCREEECH!
MAYBE IT'S JUST A WEE BAT OR SOMETHIN'.
OR MAYBE IT'S A GREAT... TATTIE BOGLE!
COME TAE GET US FOR BEING BAD.
BOGLES EAT BOYS - ABODY KENS THAT.
IT'LL NO' EAT ME - I'VE A HIGH FAT CONTENT!
YE'D THING THESE SCOTS LADDIES HAD NEVER HEARD THE PIPES BEFORE.
STILL, THAT MIGHT BE THE END O' THE SPOOKY CAVE GANG.
TATTIE BOGLES ARE NO' HEALTH CONSCIOUS, BOAB.
LATER-
HELLO, BOYS.
HELLO, CONSTABLE MURDOCH, SIR.
YOU'RE LOOKIN' AWFY PALE - LIKE YE'VE SEEN A GHOST.
GULP!
HE KENS SOMETHING.

WULLIE GOES NEITHER EAST OR WEST - FOR HE KENS THAT HAME IS BEST.

I'M NEEDING A SUMMER JOB.
I'M BROKE AFTER MY HOLIDAYS SO I'M CLEARING TABLES FOR TONI.
BOAB WAS ALWAYS GOOD AT CLEARING PLATES.
AYE, ESPECIALLY IF THEY HAD CHIPS ON THEM.
JINGS! SOAPY'S GOT A JOB IN PC MURDOCH'S GARDEN.
I'M PICKING THE HIGH RASPS.
AND I'M PICKING THE LOW ANES.
WEE ECK IS WORKING TAE.
I'LL GET A JOB DELIVERING STUFF FOR MISS MCNAB THE GREENGROCER.
TOO LATE, I GOT THE JOB. WOMEN ARE BETTER DRIVERS THAN MEN.
YE WIDNAE THINK IT - YE NEAR RAN ME DOON, PRIMROSE.
HELLO, WULLIE. WHAT'S UP?
IT'S BOAB'S DAD.
I'M NEEDING A JOB.
BOAB WAS MEANT TAE BE WASHING MY CAR BUT HE'S AWA CLEARING TABLES.
I'LL DAE THAT.
GUID LAD, WULLIE. I'LL PAY YE WHEN YOU'RE FINISHED.
THIS HAS GIVEN ME AN IDEA. I'M AWA ROUND TAE SOAPY'S HOOSE NOW.
THANKS FOR LIFTING MY TATTIES, WULLIE. SOAPY SHOULD HAVE DONE IT.
AND-
I'LL WALK FLUFFIKINS, MRS PATERSON.
THANK YOU, WILLIAM. PRIMROSE IS TOO BUSY.
LATER-
WHAUR DID YOU GET MONEY FOR THAT NEW BALL?
JUST WORKING AT HOME.
AYE, *THEIR* HOMES. HA! HA!

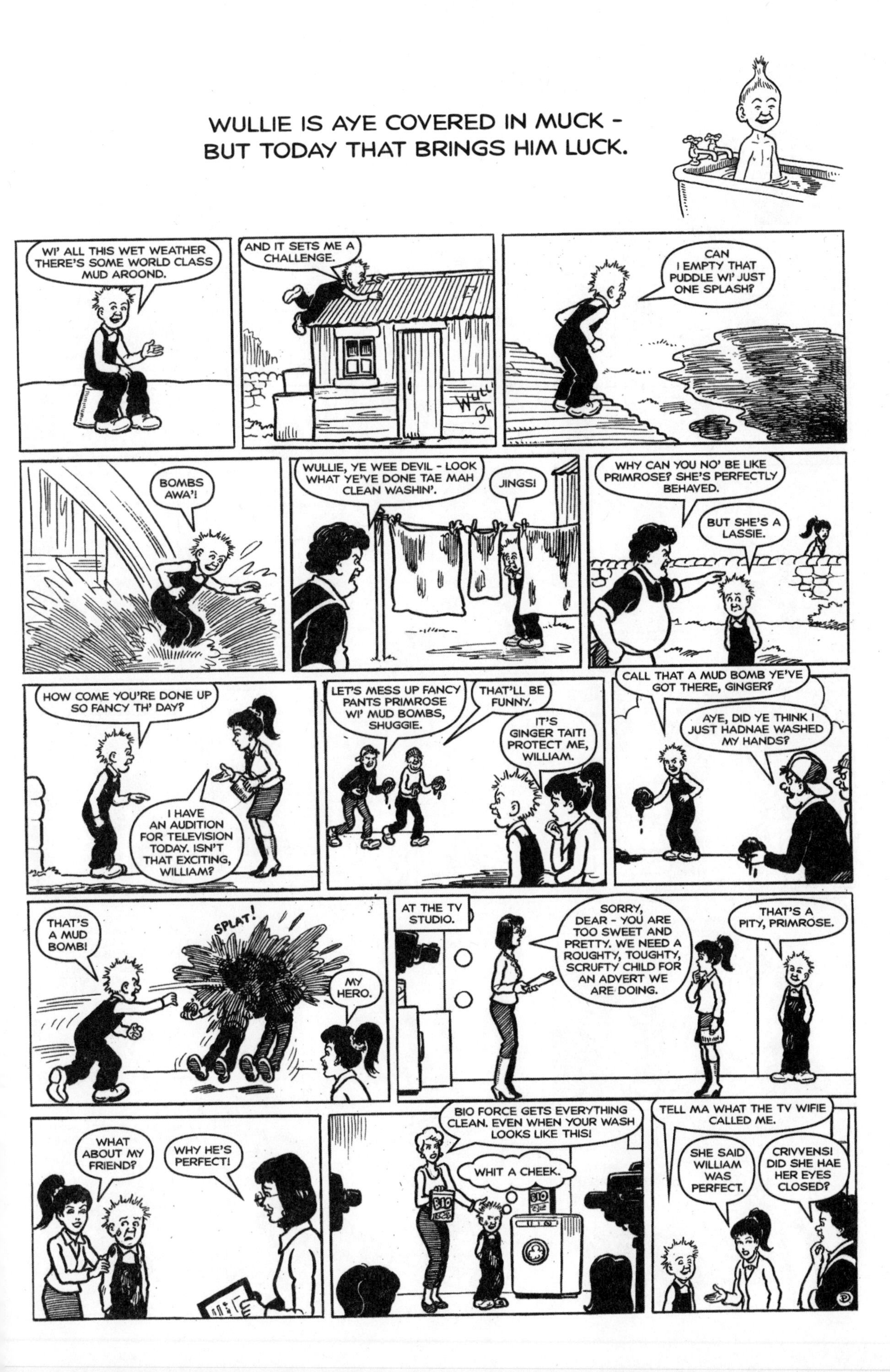
WULLIE IS AYE COVERED IN MUCK -
BUT TODAY THAT BRINGS HIM LUCK.
WI' ALL THIS WET WEATHER THERE'S SOME WORLD CLASS MUD AROOND.
AND IT SETS ME A CHALLENGE.
CAN I EMPTY THAT PUDDLE WI' JUST ONE SPLASH?
BOMBS AWA'!
WULLIE, YE WEE DEVIL - LOOK WHAT YE'VE DONE TAE MAH CLEAN WASHIN'.
JINGS!
WHY CAN YOU NO' BE LIKE PRIMROSE? SHE'S PERFECTLY BEHAVED.
BUT SHE'S A LASSIE.
HOW COME YOU'RE DONE UP SO FANCY TH' DAY?
I HAVE AN AUDITION FOR TELEVISION TODAY. ISN'T THAT EXCITING, WILLIAM?
LET'S MESS UP FANCY PANTS PRIMROSE WI' MUD BOMBS, SHUGGIE.
THAT'LL BE FUNNY.
IT'S GINGER TAIT! PROTECT ME, WILLIAM.
CALL THAT A MUD BOMB YE'VE GOT THERE, GINGER?
AYE, DID YE THINK I JUST HADNAE WASHED MY HANDS?
THAT'S A MUD BOMB!
SPLAT!
MY HERO.
AT THE TV STUDIO.
SORRY, DEAR - YOU ARE TOO SWEET AND PRETTY. WE NEED A ROUGHTY, TOUGHTY, SCRUFTY CHILD FOR AN ADVERT WE ARE DOING.
THAT'S A PITY, PRIMROSE.
WHAT ABOUT MY FRIEND?
WHY HE'S PERFECT!
BIO FORCE GETS EVERYTHING CLEAN. EVEN WHEN YOUR WASH LOOKS LIKE THIS!
WHIT A CHEEK.
TELL MA WHAT THE TV WIFIE CALLED ME.
SHE SAID WILLIAM WAS PERFECT.
CRIVVENS! DID SHE HAE HER EYES CLOSED?

OOR WULLIE'S THIN IN THE MIDDLE, IN FACT HE'S FIT AS A FIDDLE.

FOWK ARE SAYING SCOTS LADDIES ARE GETTING OBESE.
BUT ME AN' MY PALS RUN ABOOT A' THE TIME.
ARE YE COMING OOT TAE RUN ABOOT, BOYS?
NAW, WE'RE PLAYING A COMPUTER GAME.
GRAND THEFT TRUCK - IT'S MY FAITHER'S.
YOU'RE THE KIND O' LADDIES THE GOVERNMENT ARE WORRIED ABOOT. YOU'LL NO' BE ABLE TAE GET OOT O' YER CHAIR SOON.
I'M STILL PLANNING TAE PLAY FOR SCOTLAND.
CRASH!
WIS THAT YOU? IT MUST HAE BEEN - THERE'S NAEBODY ELSE.
WHAP!
I'LL TELL THE POLIS.
OCH! IT'S NO' FUN WITHOOT YER PALS.
MAYBE I'LL BUY A COMPUTER GAME AND JOIN THEM.
OXAID COMPUTER GAMES FOR SALE
I'VE GOT FIFTY PEE IN MY POCKET.
YE DINNA GET A LOT FOR THAT MONEY, WULLIE.
IT'LL DAE.
PING-PONG! THIS GAME IS AS AULD AS GRANPAW BROON.
BOAB AND SOAPY WIDNAE BE SEEN DEID PLAYING WITH THIS GAME.
STOP! THAT'S AN EARLY FAMICOM 22 - IT'S REALLY COLLECTABLE. I'LL GIVE YOU FIVE POUNDS FOR IT.
SIX AND IT'S YOURS.
THAT'S AMAZIN'. WHAT A PROFIT.
SOAPY? WHAT'S UP WI' YOU?
MY DAD SAID WE WERE TOO YOUNG TAE PLAY GRAND THEFT TRUCK - HE SENT US OOTSIDE TAE GET EXERCISE.
DAE YE WANT TAE PLAY GRAND THEFT CARTIE THEN?
AYE, BUT HOW DAE YE PLAY THAT?
YOU PRETEND TAE STEAL MY CARTIE AND THEN YE PULL IT HAME.
PUFF! PANT!
I'VE NEVER HEARD O' THIS GAME.
I BOUGHT BOAB AND SOAPY AN ICE CREAM, THEY WERE NEEDIN' IT FOR ENERGY.

WULLIE'S PALS ARE LITTLE USE
WHEN IT COMES TAE LOOKING EFTER A MOOSE.

WULLIE'S ON HIS MOBILE PHONE.
CALLING SOAPY SOUTAR! ROUND UP THE PALS, I NEED TAE SEE YE ALL.
UNDERSTOOD, WULLIE. I HAE YE ON SPEAKER PHONE SO ABODY HEARD.
WHAT'S UP, WULLIE?
IT'S AN EMERGENCY, MEN.
MA AND PA AND ME ARE GOING TAE A HOTEL FOR A WEEKEND AT THE SEASIDE.
SO I NEED SOMEBODY TAE LOOK EFTER JEEMY THE MOOSE.
WE'RE LOOKING EFTER MY AUNTIE'S C-A-T. SO I CANNA HELP.
MY MITHER IS TERRIFIED O' WEE BEASTIES.
WHIT?
SHE MUST GET A FLEG EVERY TIME YOU COME HAME.
CHEEK!
CAN YOU HELP, BOAB?
AYE, GIE HIM HERE.
JEEMY IS SCARED O' YE, BOAB.
I WAS EATING SUGAR MICE LAST WEEK. HE MUST HAE SEEN ME.
MICHTY! HE'S TRAUMATISED.
YOU GET CATTERIES, DAE YE NOT GET MOOSERIES?
DINNA BE DAFT.
NEXT DAY-
IS JEEMY BEING LOOKED AFTER, WULLIE?
AYE.
I HEAR A SORT O' SQUEAKING NOISE FRAE THE BACK.
IT'S THIS SEAT, PA.
STAY HIDDEN, JEEMY. THE HOTEL MICHT CHARGE PA EXTRA FOR YE.
WHIT A PALAVER! WE KEN FINE HE AYE BRINGS JEEMY ON HOLIDAY.

WHEN IT COMES TAE PLAYING TENNIS - OOR WULLIE IS A PROPER MENACE.

WIN OR LOSE, ANDY MURRAY IS MY NUMBER ONE HERO.
GO ANDY
THERE'S NAE PLACE FOR ME TAE PLAY TENNIS.
ABODY IS OOT WI' THEIR RACQUETS WHEN WIMBLEDON IS ON.
I'LL HIT SOME SHOTS ANYWAY.
HELP MAH BOAB!
LUCKY FOR YOU I'M GOING AFF DUTY, WULLIE.
SILLY AULD POLIS MAN WILL NO' STOP ME.
WHACK!
EE! WHA DID THAT?
THUD!
I'LL TELL YER MA, YE WEE DEVIL!
HERE COMES A DEMON SERVE.
THAT'S WULLIE AGAIN.
WULLIE GIED ME AN AWFY FLEG.
AND SPLATTED MY CONE.
I'LL DEAL WITH HIM.
YOU'RE GROUNDED, WULLIE. GO SIT ON YOUR BUCKET AND THINK HOW BAD YOU'VE BEEN.
I CANNA.
I'VE SENT IT TAE SOMEBODY.
MAYBE ANDY'LL HAE BETTER LUCK NEXT TIME IF HE SITS ON IT.
TIME!
TENNIS IS BRAW

HEAR HIS LOYAL FANS ALL RAVE,
'RAISE YOUR VOICE FOR WULLIE THE BRAVE'.

I'M WAITING FOR BOAB AND SOAPY.
DID YE SEE THAT PROGRAMME ABOOT THON BULL RUN LAST NICHT?
AYE, BULLS WERE CHARGING THROUGH A TOON AND LADS WERE RUNNING IN FRONT O' THEM.
HUH! I COULD DAE THAT.
LET'S SEE YE RUN ACROSS THE FIELD WHAUR FARMER EASTON'S BILLY GOAT IS KEPT.
MEET ME HERE AT TWA O' CLOCK AND I'LL DAE IT.
THAT GIES ME PLENTY TIME TAE MAK FREENDS WI' THE GOAT FIRST.
NICE GOAT. WULLIE HAS TASTY BREAD FOR YE. WULLIE IS YOUR FRIEND.
HE'S EATING OOT O' MY HAND. HE'LL NO' BUTT ME NOW.
NAE MAIR BREAD? THEN GET OOT O' MY FIELD.
OCH, YE TRAITOR!
BUTT!
JINGS! I'M GOING TAE NEED A SUIT OF ARMOUR.
THROB!
I KEN WHIT I'LL DAE.
HERE'S THE AULD BUCKET WI' NAE BOTTOM IN IT.
PITY YE CANNA BUY TARTAN PAINT.
TWO O' CLOCK.
NOT ONLY WILL I WALK ACROSS THE FIELD – I'LL DAE IT WEARING THIS KILT.
CLANG!
A SILLY GOAT DISNAE BOTHER ME.
I DIDNAE KEN HE WAS SO TOUGH.
WE'LL CALL HIM WULLIE THE BRAVE.
AN ARMOURED KILT. WONDER IF THEY WORE THEM AT BANNOCKBURN?

FOR WULLIE THERE'S NAE WORLD CUP FINAL - SINCE HE SMASHED HIS FAITHER'S VINYL.

IT'S THE WORLD CUP FINAL AND WULLIE IS BEATING ABODY.
HE SHOOTS AND SCORES ANOTHER! IT'S A NEW RECORD!
NAW, IT'S AN AULD RECORD.
CRASH!
OH MICHTY! PA'S PRIDE AND JOY RECORD COLLECTION.
GO TAE YOUR ROOM. YOU'RE NOT GETTING TAE WATCH THE WORLD CUP FINAL ON TELLY TONIGHT.
AW, PA.
WHY ARE YOU SO SAD, SWEET WILLIAM?
I'M CHEESED AFF! PA IS NO' LETTING ME SEE THE WORLD CUP FINAL TONIGHT.
I'LL HELP YOU WITH YOUR FINAL IF YOU HELP ME WITH MINE.
IT'S A DEAL. YOU'RE A PAL, PRIMROSE.
THROW DOWN YOUR CLOTHES AND A HAT. I NEED TO DISGUISE MYSELF AS YOU.
WULLIE'S ESCAPING ROOND TAE SOME PAL'S HOOSE TAE SEE THE MATCH. LET'S GET EFTER HIM, MA.
HA! HA! I'LL WATCH THE FINAL WHILE THEY'RE OOT CHASING PRIMROSE.
GOOOOAALL!
LATER-
HAVE YOU SEEN WULLIE, PRIMROSE?
NO, THE NAUGHTY BOY WAS NOT ALLOWED OUT.
MICHTY! WULLIE'S BEEN HERE A' THE TIME. I MUST HAE BEEN SEEING THINGS.
HEH! HEH! I WONDER WHAT FINAL PRIMROSE HAS TOMORROW?
NEXT DAY-
FOR OUR DANCE FINAL PRIMROSE HAS BROUGHT A PARTNER.
IT WAS WORTH IT - JUST.

WULLIE'S BECOME THE LIVING DEID -
OUT TO WIN HIMSELF A FEED.
I DINNA LIKE LASSIES COMING GUISING - THEY AYE WANT TAE BE SINGING POSH OR DANCING.
BUT I'M NEEDING YOU TAE DO MY MAKE-UP, PRIMROSE.
I'VE BORROWED MUM'S MAKE-UP CASE FROM HER BEAUTY SHOP.
MAKE UP
WULLIE PUTTING ON MAKE-UP?
FAINT!
WHIT ARE YOU FAINTING FOR, ECK? THIS IS MY AIN FACE - SHE'S NO' STARTED YET.
PIGGY FACE? NAH, FAT BOAB HAS THIS LOOK ALREADY.
NAH, THERE'S TOO MANY CLOWNS IN AUCHENSHOOGLE.
CAT FACE? WEE HARRY WOULD CHASE ME.
AHA! THIS IS THE ONE - PERFECT FOR GUISING AT HALLOWEEN.
HALLOWEEN-
MICHTY! IT'S THE LIVIN' DEID.
I AM HERE TO AMUSE YOU. YOU WILL GIVE ME TREATS OR I WILL EAT YOUR BRAINS.
WHAT IS A ZOMBIE'S FAVOURITE TOY?
HIS 'DEADY' BEAR.
HA! HA!
APPLES, ORANGES, SWEETS AND CRISPS. I'VE DONE REALLY WELL THIS YEAR. WHAT A HAUL O' TREATS.
STAND AND DELIVER, WILLIAM. YOU'RE DUE ME HALF FOR DOING YOUR MAKE-UP.
BUT THAT'S HIGHWAY ROBBERY!
CHECK MY COSTUME, SHERLOCK.
I LIKE LASSIES GUISING EVEN LESS NOW. SHE'S SNAGGED A' THE BEST GOODIES.
I'M NO' BEST MADE UP WI' PRIMROSE AT ALL.

WULLIE FINDS DURING PLAY
THAT EVERY DOG HAS HIS DAY!
WULLIE'S AWA WITH HIS CARTIE.
AUCHENSHOOGLE'S QUIET TODAY SO I'M AWA DOON STOORIE ROAD.
THIS AULD CARTIE IS GOOD FOR MANY A MILE YET.
I'M BOOKING YE FOR DRIVING AN UNSAFE VEHICLE ON A PUBLIC PAVEMENT. NAME, ADDRESS AND WHAUR DAE YE BIDE?
OCH! YOU KEN FINE.
MY CARTIE'S OFF THE ROAD SO I'LL PRACTISE MY SHOOTING.
HELLO, HELLO, HELLO - FIRING A DANGEROUS WEAPON WITHOOT DUE CARE AND ATTENTION.
ARE YOU BORED THE DAY, PC MURDOCH?
NAE CHEEK - JUST YER NAME, ADDRESS AND WHAUR YE BIDE?
SAME PLACE AS WHEN YE ASKED ME TWENTY MINUTES AGO.
HURRY UP, JOE. WE'RE GETTING READY TAE START.
NOW GET AFF WITH YE.
HUMPH!
WULLIE, YOU'RE A GUID FITBA PLAYER. REFEREE OOR MATCH FOR US - THE REF HASNAE TURNED UP.
OK, I CANNA GET INTO TROUBLE DOING THAT.
I FOUND A REF.
OOR WULLIE?
AYE, ME, CONSTABLE MURDOCH.
WHEEP!
FOUL!
FOUL PLAY, NUMBER FIVE. WHAT'S YOUR NAME?
YE KEN FINE.
NOW GET AFF WI' YE!
DOH!
SHAME!
HA! HA! THAT'S WHAT I CALL JUSTICE.

IT'S CERTAINLY NO LAUGHING MATTER,
HARRY'S TRIAL WI' SOAP AND WATTER.

IT'S TIME FOR YER SUMMER HAIRCUT, HARRY. IT'S MAY, YE KEN.
AH'LL HAE TAE GIE YE A BATH AFORE AH TAK' YE TAE THE PARLOUR FOR YER TRIM. AWFY POSH SOUNDIN', ISN'T IT?
THAT'S AMAZIN'. AH JIST NEED TAE MENTION THE WORD 'BATH'...
...AN' HE'S UP THON TREE FASTER THAN THE NEIGHBOUR'S CAT.
SHAKE!
THERE'S NAE ESCAPE, MA LAD.
YE'RE NO' GOIN' DOON WI'OOT A FIGHT, AH SEE.
BUT AH'M A STEP AHEID O' YE. WE HAE SPLASHDOON.
SNIP!
YE MICHT AS WEEL STOP STRUGGLIN'. AH'VE GOT YE BEAT, LAD.
MICHTY. YER COAT'S A' TUGS. WHEN DID YE LAST HAE A WASH AN' BRUSH UP, YE WEE RASCAL?
YE'RE LOOKIN' A RICHT PICTER NOW, HARRY.
WI' A COAT LIKE THAT, THE CLIPPERS'LL GLIDE THROUGH.
HE'S VERY CLEAN. IT'S SO MUCH EASIER FOR ME WHEN HE'S WELL GROOMED.
THANKS, MISSUS.
NOW THAT WISNAE SORE, WIS IT? YE LOOK BRAW - THE BEST O' BREED.
TIME FOR YER SUMMER HAIRCUT, WULLIE - BUT YE'LL NEED IT WASHED FIRST.
WHIT?
AH KENT THIS WID HAPPEN. WEEL, SUIT YERSEL'. IT'LL BE THE HOSE AGAIN THIS YEAR, YE MUCKY WEE PUP.
WOOOSH!
WE'LL SOON HAVE YOU SMARTENED UP. IT'S SO MUCH EASIER TO CUT HAIR WHEN IT'S CLEAN.
NO' A WORD OOT O' YOU, DUG.

PUIR WULLIE'S IN AN AWFY STATE,
PA'S CHOICE O' WHEELS IS NO' THAT GREAT.

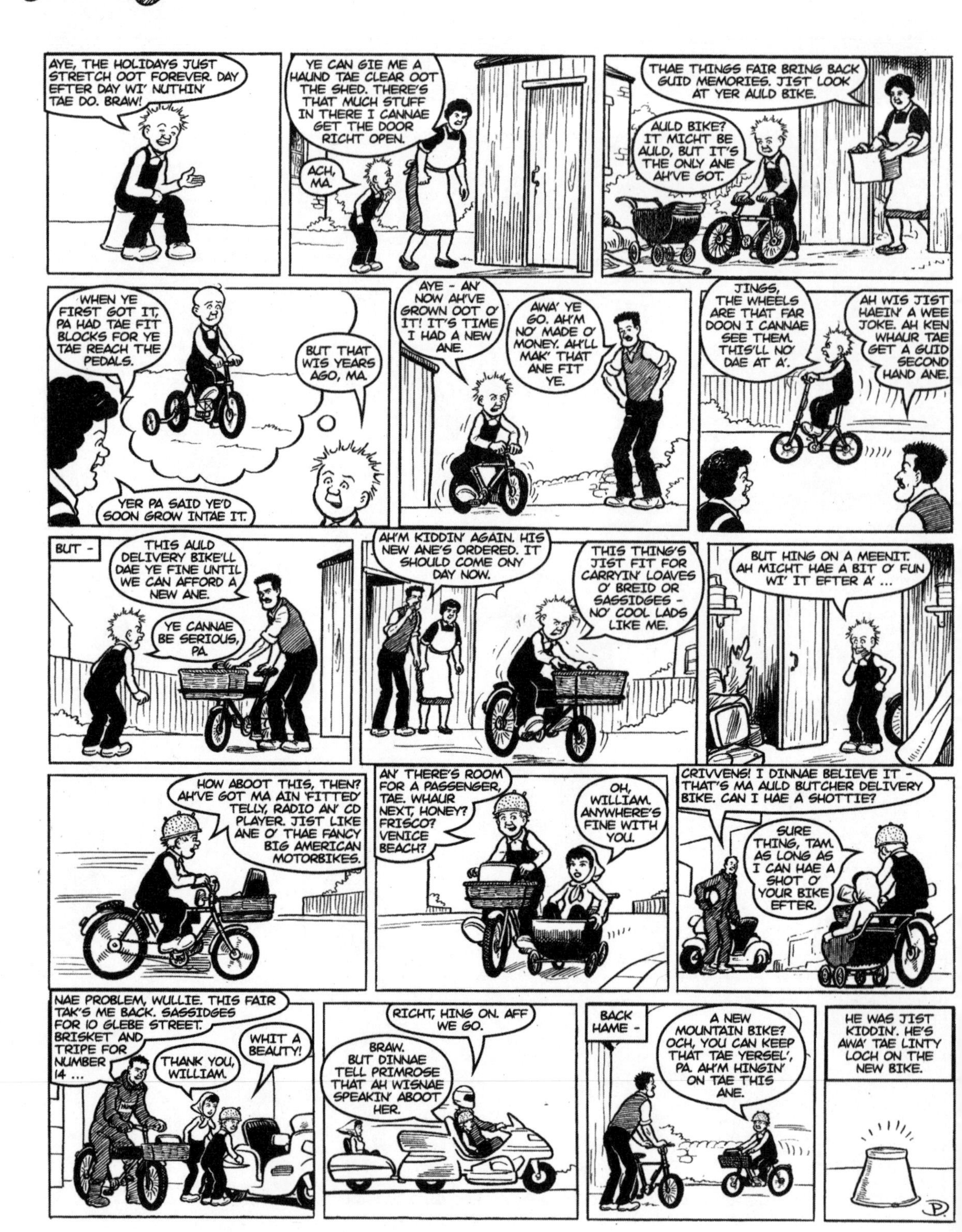
AYE, THE HOLIDAYS JUST STRETCH OOT FOREVER. DAY EFTER DAY WI' NUTHIN' TAE DO. BRAW!
YE CAN GIE ME A HAUND TAE CLEAR OOT THE SHED. THERE'S THAT MUCH STUFF IN THERE I CANNAE GET THE DOOR RICHT OPEN.
ACH, MA.
THAE THINGS FAIR BRING BACK GUID MEMORIES. JIST LOOK AT YER AULD BIKE.
AULD BIKE? IT MICHT BE AULD, BUT IT'S THE ONLY ANE AH'VE GOT.
WHEN YE FIRST GOT IT, PA HAD TAE FIT BLOCKS FOR YE TAE REACH THE PEDALS.
YER PA SAID YE'D SOON GROW INTAE IT.
BUT THAT WIS YEARS AGO, MA.
AYE - AN' NOW AH'VE GROWN OOT O' IT! IT'S TIME I HAD A NEW ANE.
AWA' YE GO. AH'M NO' MADE O' MONEY. AH'LL MAK' THAT ANE FIT YE.
JINGS, THE WHEELS ARE THAT FAR DOON I CANNAE SEE THEM. THIS'LL NO' DAE AT A'.
AH WIS JIST HAEIN' A WEE JOKE. AH KEN WHAUR TAE GET A GUID SECOND HAND ANE.
BUT -
THIS AULD DELIVERY BIKE'LL DAE YE FINE UNTIL WE CAN AFFORD A NEW ANE.
YE CANNAE BE SERIOUS, PA.
AH'M KIDDIN' AGAIN. HIS NEW ANE'S ORDERED. IT SHOULD COME ONY DAY NOW.
THIS THING'S JIST FIT FOR CARRYIN' LOAVES O' BREID OR SASSIDGES - NO' COOL LADS LIKE ME.
BUT HING ON A MEENIT. AH MICHT HAE A BIT O' FUN WI' IT EFTER A' ...
HOW ABOOT THIS, THEN? AH'VE GOT MA AIN 'FITTED' TELLY, RADIO AN' CD PLAYER. JIST LIKE ANE O' THAE FANCY BIG AMERICAN MOTORBIKES.
AN' THERE'S ROOM FOR A PASSENGER, TAE. WHAUR NEXT, HONEY? FRISCO? VENICE BEACH?
OH, WILLIAM. ANYWHERE'S FINE WITH YOU.
CRIVVENS! I DINNAE BELIEVE IT - THAT'S MA AULD BUTCHER DELIVERY BIKE. CAN I HAE A SHOTTIE?
SURE THING, TAM. AS LONG AS I CAN HAE A SHOT O' YOUR BIKE EFTER.
NAE PROBLEM, WULLIE. THIS FAIR TAK'S ME BACK. SASSIDGES FOR 10 GLEBE STREET. BRISKET AND TRIPE FOR NUMBER 14 ...
THANK YOU, WILLIAM.
WHIT A BEAUTY!
RICHT, HING ON. AFF WE GO.
BRAW. BUT DINNAE TELL PRIMROSE THAT AH WISNAE SPEAKIN' ABOOT HER.
BACK HAME -
A NEW MOUNTAIN BIKE? OCH, YOU CAN KEEP THAT TAE YERSEL', PA. AH'M HINGIN' ON TAE THIS ANE.
HE WAS JIST KIDDIN'. HE'S AWA' TAE LINTY LOCH ON THE NEW BIKE.

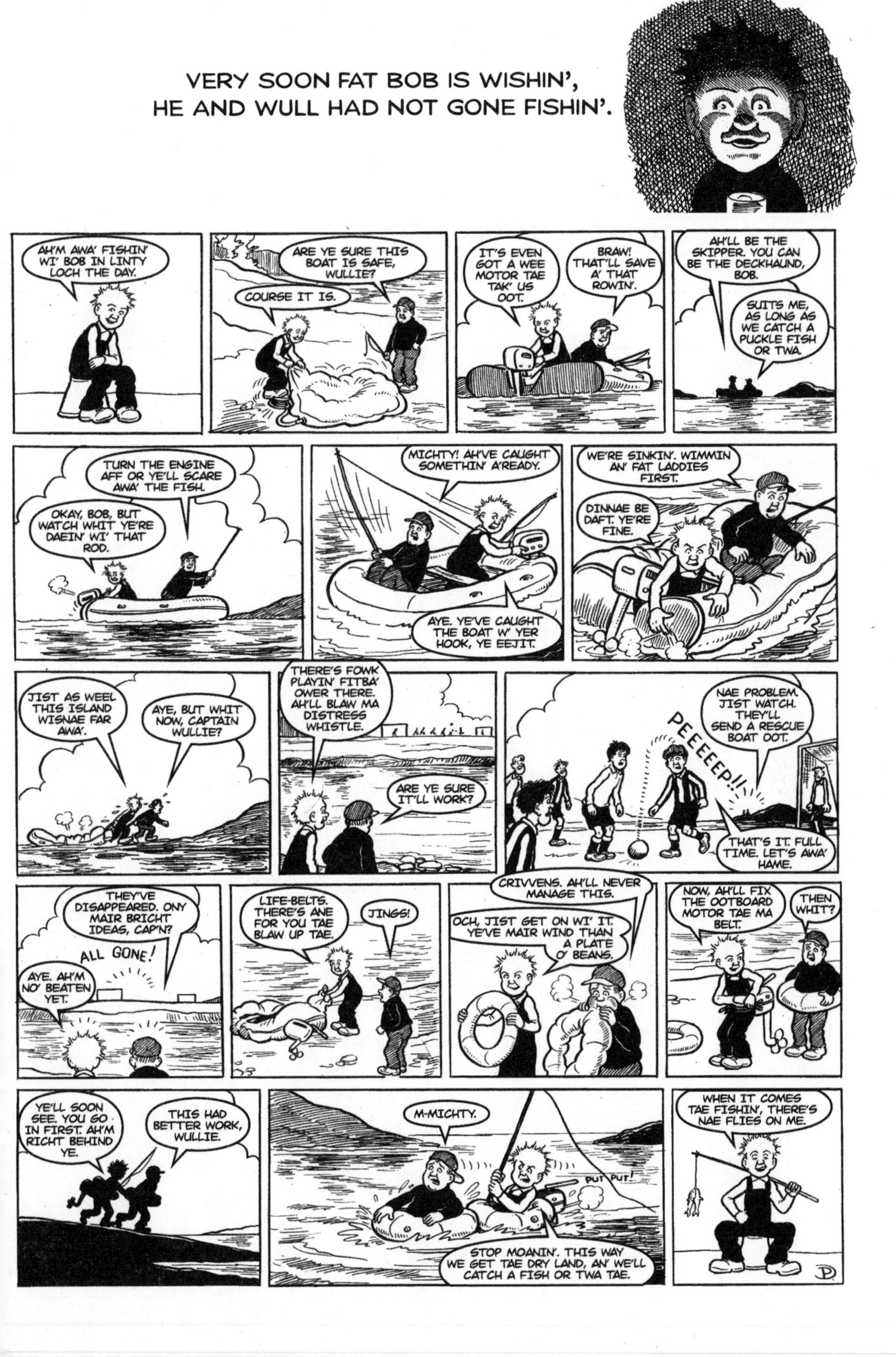
VERY SOON FAT BOB IS WISHIN',
HE AND WULL HAD NOT GONE FISHIN'.
AH'M AWA' FISHIN' WI' BOB IN LINTY LOCH THE DAY.
ARE YE SURE THIS BOAT IS SAFE, WULLIE?
COURSE IT IS.
IT'S EVEN GOT A WEE MOTOR TAE TAK' US OOT.
BRAW! THAT'LL SAVE A' THAT ROWIN'.
AH'LL BE THE SKIPPER. YOU CAN BE THE DECKHAUND, BOB.
SUITS ME, AS LONG AS WE CATCH A PUCKLE FISH OR TWA.
TURN THE ENGINE AFF OR YE'LL SCARE AWA' THE FISH.
OKAY, BOB, BUT WATCH WHIT YE'RE DAEIN' WI' THAT ROD.
MICHTY! AH'VE CAUGHT SOMETHIN' A'READY.
AYE. YE'VE CAUGHT THE BOAT W' YER HOOK, YE EEJIT.
WE'RE SINKIN'. WIMMIN AN' FAT LADDIES FIRST.
DINNAE BE DAFT. YE'RE FINE.
JIST AS WEEL THIS ISLAND WISNAE FAR AWA'.
AYE, BUT WHIT NOW, CAPTAIN WULLIE?
THERE'S FOWK PLAYIN' FITBA' OWER THERE. AH'LL BLAW MA DISTRESS WHISTLE.
ARE YE SURE IT'LL WORK?
NAE PROBLEM. JIST WATCH. THEY'LL SEND A RESCUE BOAT OOT.
PEEEEEP!!
THAT'S IT. FULL TIME. LET'S AWA' HAME.
THEY'VE DISAPPEARED. ONY MAIR BRICHT IDEAS, CAP'N?
ALL GONE!
AYE. AH'M NO' BEATEN YET.
LIFE-BELTS. THERE'S ANE FOR YOU TAE BLAW UP TAE.
JINGS!
CRIVVENS. AH'LL NEVER MANAGE THIS.
OCH, JIST GET ON WI' IT. YE'VE MAIR WIND THAN A PLATE O' BEANS.
NOW, AH'LL FIX THE OOTBOARD MOTOR TAE MA BELT.
THEN WHIT?
YE'LL SOON SEE. YOU GO IN FIRST. AH'M RICHT BEHIND YE.
THIS HAD BETTER WORK, WULLIE.
M-MICHTY.
PUT PUT!
STOP MOANIN'. THIS WAY WE GET TAE DRY LAND, AN' WE'LL CATCH A FISH OR TWA TAE.
WHEN IT COMES TAE FISHIN', THERE'S NAE FLIES ON ME.

WI' BUCKET READY, WULL'S EXPECTIN',
GUID RESULTS FRAE HIS COLLECTIN'.

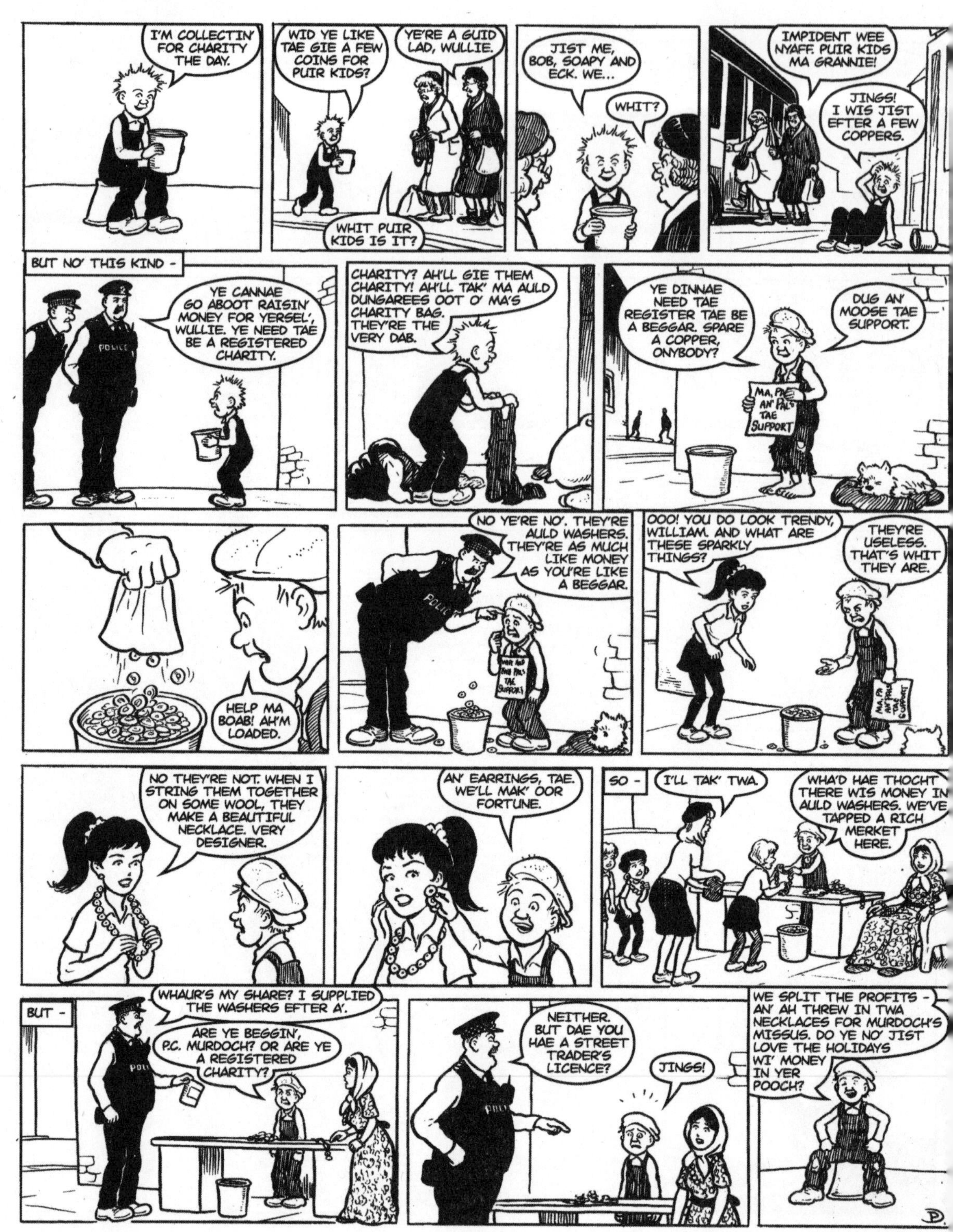

I'M COLLECTIN' FOR CHARITY THE DAY.
WID YE LIKE TAE GIE A FEW COINS FOR PUIR KIDS?
YE'RE A GUID LAD, WULLIE.
WHIT PUIR KIDS IS IT?
JIST ME, BOB, SOAPY AND ECK. WE...
WHIT?
IMPIDENT WEE NYAFF. PUIR KIDS MA GRANNIE!
JINGS! I WIS JIST EFTER A FEW COPPERS.
BUT NO' THIS KIND -
YE CANNAE GO ABOOT RAISIN' MONEY FOR YERSEL', WULLIE. YE NEED TAE BE A REGISTERED CHARITY.
CHARITY? AH'LL GIE THEM CHARITY! AH'LL TAK' MA AULD DUNGAREES OOT O' MA'S CHARITY BAG. THEY'RE THE VERY DAB.
YE DINNAE NEED TAE REGISTER TAE BE A BEGGAR. SPARE A COPPER, ONYBODY?
DUG AN' MOOSE TAE SUPPORT.
MA, PA AN' PALS TAE SUPPORT
HELP MA BOAB! AH'M LOADED.
NO YE'RE NO'. THEY'RE AULD WASHERS. THEY'RE AS MUCH LIKE MONEY AS YOU'RE LIKE A BEGGAR.
OOO! YOU DO LOOK TRENDY, WILLIAM. AND WHAT ARE THESE SPARKLY THINGS?
THEY'RE USELESS. THAT'S WHIT THEY ARE.
NO THEY'RE NOT. WHEN I STRING THEM TOGETHER ON SOME WOOL, THEY MAKE A BEAUTIFUL NECKLACE. VERY DESIGNER.
AN' EARRINGS, TAE. WE'LL MAK' OOR FORTUNE.
SO -
I'LL TAK' TWA.
WHA'D HAE THOCHT THERE WIS MONEY IN AULD WASHERS. WE'VE TAPPED A RICH MERKET HERE.
BUT -
WHAUR'S MY SHARE? I SUPPLIED THE WASHERS EFTER A'.
ARE YE BEGGIN', P.C. MURDOCH? OR ARE YE A REGISTERED CHARITY?
NEITHER. BUT DAE YOU HAE A STREET TRADER'S LICENCE?
JINGS!
WE SPLIT THE PROFITS - AN' AH THREW IN TWA NECKLACES FOR MURDOCH'S MISSUS. DO YE NO' JIST LOVE THE HOLIDAYS WI' MONEY IN YER POOCH?

PUIR WULLIE'S THROAT IS DRY AS DUST,
SO LUBRICATION IS A MUST.

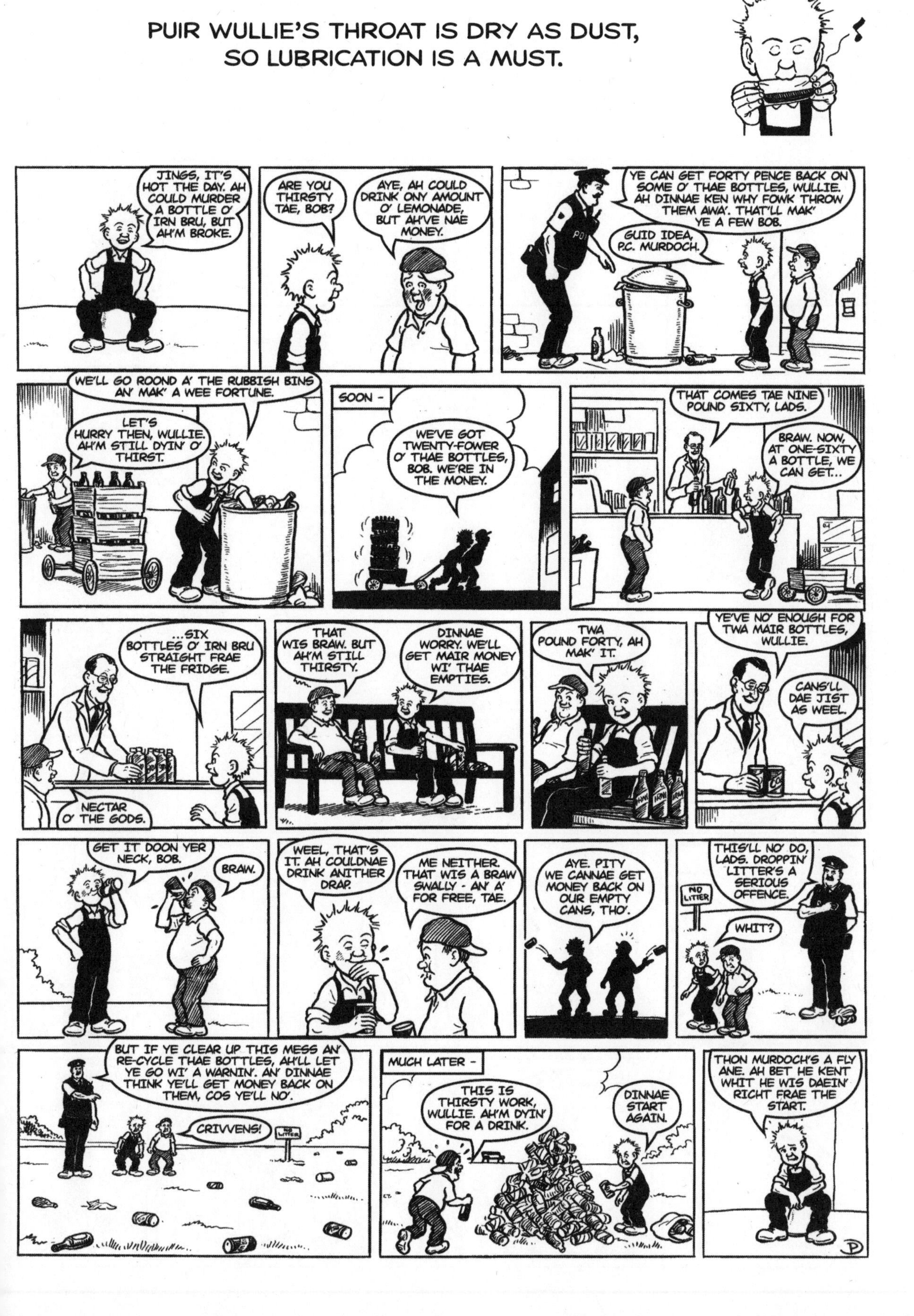

JINGS, IT'S HOT THE DAY. AH COULD MURDER A BOTTLE O' IRN BRU, BUT AH'M BROKE.
ARE YOU THIRSTY TAE, BOB?
AYE, AH COULD DRINK ONY AMOUNT O' LEMONADE, BUT AH'VE NAE MONEY.
YE CAN GET FORTY PENCE BACK ON SOME O' THAE BOTTLES, WULLIE. AH DINNAE KEN WHY FOWK THROW THEM AWA'. THAT'LL MAK' YE A FEW BOB.
GUID IDEA, P.C. MURDOCH.
WE'LL GO ROOND A' THE RUBBISH BINS AN' MAK' A WEE FORTUNE.
LET'S HURRY THEN, WULLIE. AH'M STILL DYIN' O' THIRST.
SOON -
WE'VE GOT TWENTY-FOWER O' THAE BOTTLES, BOB. WE'RE IN THE MONEY.
THAT COMES TAE NINE POUND SIXTY, LADS.
BRAW. NOW, AT ONE-SIXTY A BOTTLE, WE CAN GET...
...SIX BOTTLES O' IRN BRU STRAIGHT FRAE THE FRIDGE.
NECTAR O' THE GODS.
THAT WIS BRAW. BUT AH'M STILL THIRSTY.
DINNAE WORRY. WE'LL GET MAIR MONEY WI' THAE EMPTIES.
TWA POUND FORTY, AH MAK' IT.
YE'VE NO' ENOUGH FOR TWA MAIR BOTTLES, WULLIE.
CANS'LL DAE JIST AS WEEL.
GET IT DOON YER NECK, BOB.
BRAW.
WEEL, THAT'S IT. AH COULDNAE DRINK ANITHER DRAP.
ME NEITHER. THAT WIS A BRAW SWALLY - AN' A' FOR FREE, TAE.
AYE. PITY WE CANNAE GET MONEY BACK ON OUR EMPTY CANS, THO'.
THIS'LL NO' DO, LADS. DROPPIN' LITTER'S A SERIOUS OFFENCE.
NO LITTER
WHIT?
BUT IF YE CLEAR UP THIS MESS AN' RE-CYCLE THAE BOTTLES, AH'LL LET YE GO WI' A WARNIN'. AN' DINNAE THINK YE'LL GET MONEY BACK ON THEM, COS YE'LL NO'.
CRIVVENS!
NO LITTER
MUCH LATER -
THIS IS THIRSTY WORK, WULLIE. AH'M DYIN' FOR A DRINK.
DINNAE START AGAIN.
THON MURDOCH'S A FLY ANE. AH BET HE KENT WHIT HE WIS DAEIN' RICHT FRAE THE START.

WI' DUSTER, SPIT AN' ELBOW GREASE,
WULL'S SHOE SHINE SHOP IS SURE TAE PLEASE.

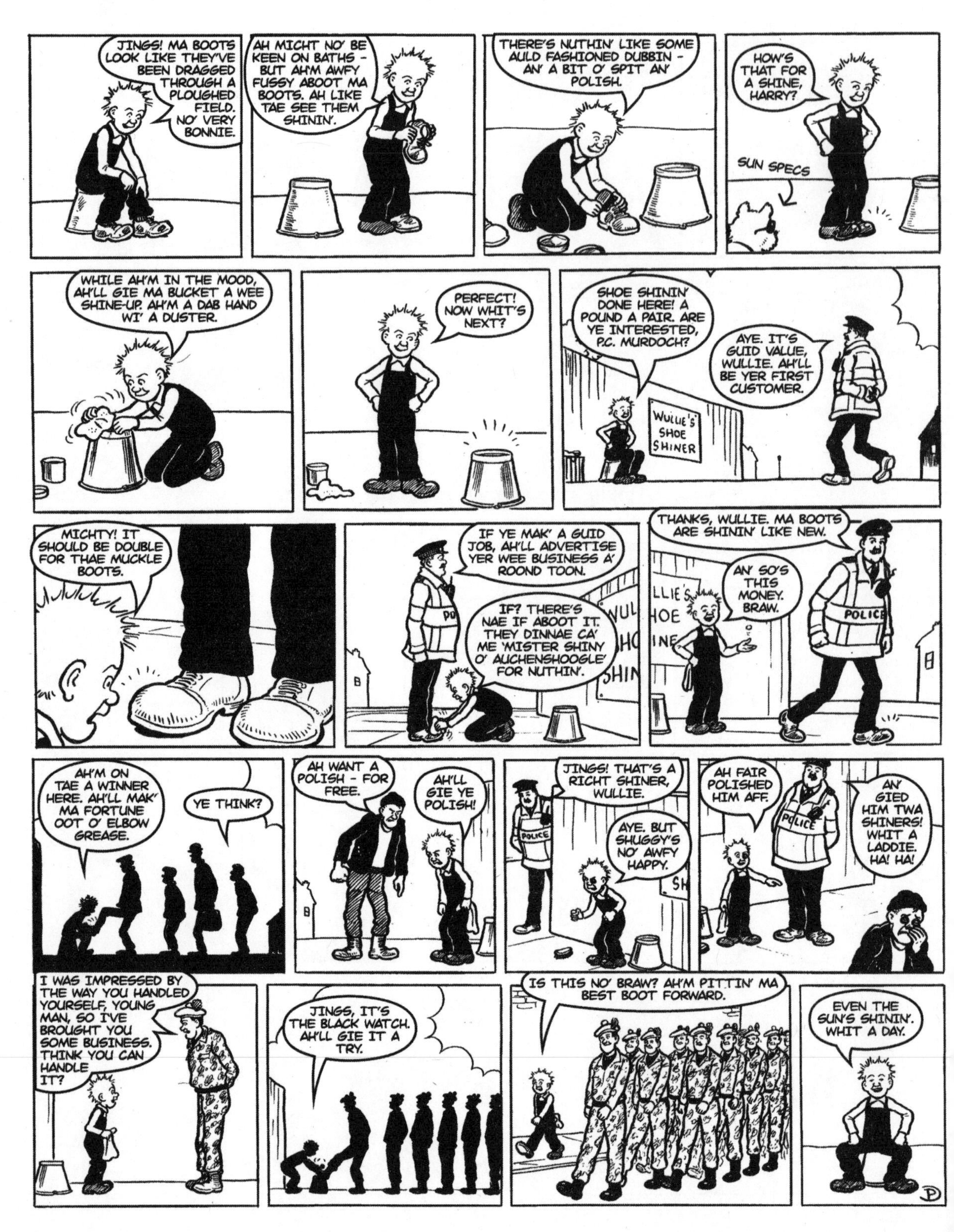

JINGS! MA BOOTS LOOK LIKE THEY'VE BEEN DRAGGED THROUGH A PLOUGHED FIELD. NO' VERY BONNIE.
AH MICHT NO' BE KEEN ON BATHS - BUT AH'M AWFY FUSSY ABOOT MA BOOTS. AH LIKE TAE SEE THEM SHININ'.
THERE'S NUTHIN' LIKE SOME AULD FASHIONED DUBBIN - AN' A BIT O' SPIT AN' POLISH.
HOW'S THAT FOR A SHINE, HARRY?
SUN SPECS
WHILE AH'M IN THE MOOD, AH'LL GIE MA BUCKET A WEE SHINE-UP. AH'M A DAB HAND WI' A DUSTER.
PERFECT! NOW WHIT'S NEXT?
SHOE SHININ' DONE HERE! A POUND A PAIR. ARE YE INTERESTED, P.C. MURDOCH?
AYE. IT'S GUID VALUE, WULLIE. AH'LL BE YER FIRST CUSTOMER.
WULLIE'S SHOE SHINER
MICHTY! IT SHOULD BE DOUBLE FOR THAE MUCKLE BOOTS.
IF YE MAK' A GUID JOB, AH'LL ADVERTISE YER WEE BUSINESS A' ROOND TOON.
IF? THERE'S NAE IF ABOOT IT. THEY DINNAE CA' ME 'MISTER SHINY O' AUCHENSHOOGLE' FOR NUTHIN'.
THANKS, WULLIE. MA BOOTS ARE SHININ' LIKE NEW.
AN' SO'S THIS MONEY. BRAW.
POLICE
AH'M ON TAE A WINNER HERE. AH'LL MAK' MA FORTUNE OOT O' ELBOW GREASE.
YE THINK?
AH WANT A POLISH - FOR FREE.
AH'LL GIE YE POLISH!
JINGS! THAT'S A RICHT SHINER, WULLIE.
AYE. BUT SHUGGY'S NO' AWFY HAPPY.
POLICE
AH FAIR POLISHED HIM AFF.
AN' GIED HIM TWA SHINERS! WHIT A LADDIE. HA! HA!
POLICE
I WAS IMPRESSED BY THE WAY YOU HANDLED YOURSELF, YOUNG MAN, SO I'VE BROUGHT YOU SOME BUSINESS. THINK YOU CAN HANDLE IT?
JINGS, IT'S THE BLACK WATCH. AH'LL GIE IT A TRY.
IS THIS NO' BRAW? AH'M PITTIN' MA BEST BOOT FORWARD.
EVEN THE SUN'S SHININ'. WHIT A DAY.

WULL'S LATEST MONEY-MAKIN' PLAN,
MICHT WEEL SUCCEED THANKS TAE HIS GRAN.

WID YE BELIEVE IT? SKINT AGAIN.

THON MANNIE FOUND MONEY WI' A METAL DETECTOR. THAT'S WHIT I NEED - AN' AULD BERT HAS ANE IN HIS SHOP.

AH'VE NAE CASH, BUT AH'LL BORROW THIS DETECTOR AN' PAY YE ONCE AH'VE MADE MA FORTUNE, BERT.

£100

THAT'LL BE RICHT! I DETECT A WEE CHANCER! BEAT IT, WULLIE.

AN' I WIS GONNAE GIE YE A SHARE O' MA PROFITS TAE.

AT THE BANK -

I NEED A LOAN O' A HUNNER POUNDS TAE BUY A METAL DETECTOR.

MANAGER

I'LL NEED DETAILS OF YOUR OCCUPATION AND INCOME.

FILL IN THIS FORM AND WE'LL LET YOU KNOW WITHIN THE YEAR.

WHIT? I DINNAE KEN WHIT I EARN - COS I'VE NO' EARNED IT YET.

NAE WONDER THE COUNTRY'S IN THE STATE IT'S IN. NAE HELP FOR SMA' BUSINESSES.

AH'LL AWA' AN' SEE GRANNIE. MEBBE SHE'LL GIE ME THE MONEY.

CAN YE LEND ME A HUNNER QUID, GRANNIE? YE'LL GET A PIECE O' THE ACTION.

WHIT'S THAT? YE WANT A PIECE?

HERE YE ARE. IT'S TREACLE - YER FAVOURITE.

AH FORGOT SHE'S AS DEAF AS A POST.

I WANT MONEY, GRANNIE.

WHY DID YOU NO' SAY SO IN THE FIRST PLACE?

AH'LL SCRAPE AFF THE TREACLE AN' SPREAD SOME HONEY INSTEAD. IT'S NAE PROBLEM.

OCH, THIS IS HOPELESS.

I GIE UP. I'LL JIST. . . HING ON A MEENIT.

THERE'S A FUNNY NOISE WHEN AH SHOOGLE THE SETTEE.

IT'S SOUNDS AWFY LIKE MONEY. AN' IT'S COMIN' FRAE HERE.

JINGS! THERE'S A SMA' FORTUNE UNDER THAE CUSHIONS. IT'S CASH THAT'S COME OOT O' FOWK'S POOCHES OWER THE YEARS.

THERE'S MAIR MONEY DOON YER SETTEE THAN THERE IS IN THE BANK. THAT'S YER SHARE, GRANNIE.

OCH, YE DINNAE HAE TAE PAY ME FOR YER PIECE, WULLIE.

THERE WAS NEAR FIFTY QUID DOON THERE. WHA NEEDS BANKS - AN' WHA NEEDS A METAL DETECTOR?

WHEN HUNGRY MOTHS LOOK SET TAE DAMPEN, WULLIE'S PLANS FOR HAPPY CAMPIN'.

AH'M AWA' TAE LINTY LOCH, CAMPIN' WI' THE LADS THE NICHT.
IS THIS NO' BRAW? AH CANNAE MIND WHEN WE WERE LAST CAMPIN'.
AH'VE NO' HAD MA TENT OOT FOR OWER A YEAR.
ME NEITHER.
HERE WE ARE. LET'S GET A'THIN' SORTED AFORE IT GETS DARK.
IT'S AWFY BONNIE.
MICHTY! WE'VE NO' BEEN CAMPIN' FOR A WHILE – BUT THE MOTHS HAE BEEN CAMPIN' IN OOR GEAR.
THE TENT'S USELESS.
MA SLEEPIN' BAG'S IN TATTERS. AN' SOAPY'S AIRBED'S FU' O' HOLES. WHIT ARE WE GONNAE DAE? AH DINNAE WANT TAE GANG HAME.
WE CAN 'BORROW' THON STUFF FRAE MRS MCTAVISH'S WASHIN' LINE.
EH? WHY?
JIST DAE WHAT I DAE. TIE UP THE ENDS AN' FILL THE SPACE WI' GRASS.
THEY'RE JIST LIKE BIG STRAW DOLLS.
AN' AWFY COMFY TAE LIE ON. MISSUS MCTAVISH MUST BE A FINE BIG WUMMAN.
THIS TABLE CLOTH MAK'S A BRAW TENT. AN' THAE ITHER CLATHES'LL KEEP US WARM A' NICHT.
YE'RE RICHT SMERT, WULLIE. WE'LL PIT THE STUFF BACK IN THE MORNIN' AN' MISSUS MCTAVISH WILL NEVER KEN WE HAD IT.
HA! HA! HA! STOP TICKLIN', WILL YE?
IT'S NO' ME. IT MUST BE THE GRASS.
HA! HA! HA! STOPPIT. HA! HA! HA!
SHHH! YE'LL WAKEN THE...
WHIT'S A' THE NOISE OOT THERE? WHIT'S GOIN' ON?
COME BACK HERE WI' MA WASHIN', YE WEE TOERAGS.
JINGS! MISSUS MCTAVISH ISNAE BONNIE, IS SHE?
THAT'S MISTER MCTAVISH. GIE HIM BACK THE CLATHES.
THIS IS ANITHER FINE MESS WE'RE IN.
DINNAE BLAME ME. IT WIS...JINGS! WHIT'S AT MA FOOT?
IT'S A GIANT BADGER. AN' HE LOOKS MADDER THAN MISTER MCTAVISH.
SAVE YER BREATH FOR RUNNIN', BOB.
HELP MA BOAB! WHIT A WASH OOT. NOW IT'S STERTED RAININ'.
AH'M AWFY WEET, WULLIE. AN' AH'M TIRED. AH'M JIST A WEE LAD AN'...
ACH, WE'RE A' TIRED, ECK. AN' WE...
P.C. MURDOCH. SAVED BY THE POLIS.
AYE. AH'M YER, KNIGHT IN SHININ' ARMOUR. WEEL, IN AN ARMOURED VAN, ONYWAY. JUMP IN THE BACK, LADS. AH'LL TAK' YE HAME.
MURDOCH TOOK US ROOND BY THE STATION AN' GIED US TEA AN' MINCE ROLLS. WE LIVE TAE FIGHT ANITHER DAY.

WULL'S FITBA' PLANS ARE DEALT A BLOW,
HE KENS TWA INTAE FIVE WON'T GO.

IT'S FITBA' WI' THE LADS THE DAY. BRAW.
OKAY, LADS? TWA-TOUCH. ME AN' ECK VERSUS YOU TWA.
AH'LL HAE A GAME AN' A'.
BIG RAB McTURK!
GIMME THE BA' AN' AH'LL KICK OFF.
BUT YE DINNAE HAE A STRIP.
HELP MA BOAB!
JINGS. AH CANNAE BEAR TAE LOOK.
AH'VE GOT A STRIP NOW - SO LET'S GET STARTED.
WHIT GUID HAS THAT DONE, YE BIG GORILLA?
NOW AH'VE NAE SHIRT! DID YOU NO' THINK ABOOT THAT?
DINNAE GET HIM ANGRY, WULLIE.
ANGRY? WHA, ME? YE'VE NO' SEEN ANGRY YET, FATSO.
GRAB
YE'VE GOT A STRIP NOW, WULLIE. A BRAND NEW ANE.
LET'S GET ON WI' THE GAME.
WE'LL NEED TAE HAE A SHOOTIE-IN TAE SEE WHA'S IN EACH TEAM.
YOU GO FIRST, RAB.
AH'M THE BIGGEST SO AH'M BOUND TAE BE THE BEST.
GET IN THE WAY O' THIS, AN' AH'LL KNOCK YE FOR SIX.
MICHTY. WULLIE'S AWA'...
...AN HE'S BACK IN SECONDS!
YE'LL NEVER SCORE. NO' IN A MILLION YEARS.
WE'LL SEE ABOOT THAT, YE WEE SHRIMP.
RUMBLE!
AAAAGH!
CRUNCH!
A STONE BA'S 'FA'EN' AFF THON GATE-POST. FANCY RAB THINKIN' IT WIS REAL.
YE'RE FOR IT NOW, WULLIE. RAB'LL MAK' MINCEMEAT O' YE.
HE'LL HAE TAE CATCH ME FIRST, AN' HE CANNAE RUN OWER FAST WI' BROKEN TOES.
THROB!
HOP!
AYE, TACTICS ARE A'THIN' IN FITBA'. AN' YE DINNAE NEED TO BE BIG TAE HAE BRAINS.

NAE EASY LIFE FOR OOR WEE LAD,
HE'S BACK AT SCHOOL, AN' THINGS LOOK BAD.

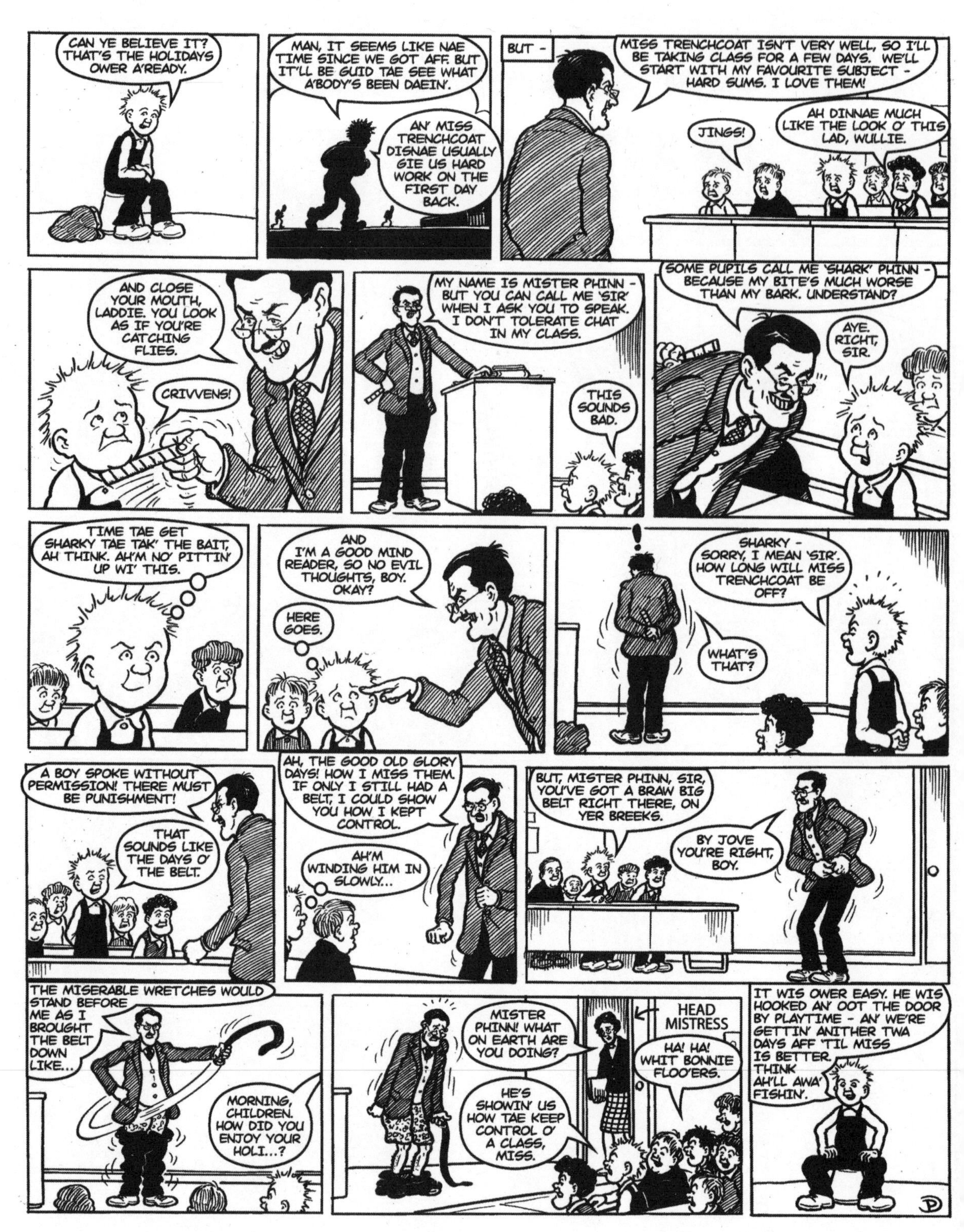
CAN YE BELIEVE IT? THAT'S THE HOLIDAYS OWER A'READY.
MAN, IT SEEMS LIKE NAE TIME SINCE WE GOT AFF. BUT IT'LL BE GUID TAE SEE WHAT A'BODY'S BEEN DAEIN'.
AN' MISS TRENCHCOAT DISNAE USUALLY GIE US HARD WORK ON THE FIRST DAY BACK.
BUT -
MISS TRENCHCOAT ISN'T VERY WELL, SO I'LL BE TAKING CLASS FOR A FEW DAYS. WE'LL START WITH MY FAVOURITE SUBJECT - HARD SUMS. I LOVE THEM!
JINGS!
AH DINNAE MUCH LIKE THE LOOK O' THIS LAD, WULLIE.
AND CLOSE YOUR MOUTH, LADDIE. YOU LOOK AS IF YOU'RE CATCHING FLIES.
CRIVVENS!
MY NAME IS MISTER PHINN - BUT YOU CAN CALL ME 'SIR' WHEN I ASK YOU TO SPEAK. I DON'T TOLERATE CHAT IN MY CLASS.
THIS SOUNDS BAD.
SOME PUPILS CALL ME 'SHARK' PHINN - BECAUSE MY BITE'S MUCH WORSE THAN MY BARK. UNDERSTAND?
AYE. RICHT, SIR.
TIME TAE GET SHARKY TAE TAK' THE BAIT, AH THINK. AH'M NO' PITTIN' UP WI' THIS.
AND I'M A GOOD MIND READER, SO NO EVIL THOUGHTS, BOY. OKAY?
HERE GOES.
SHARKY - SORRY, I MEAN 'SIR'. HOW LONG WILL MISS TRENCHCOAT BE OFF?
WHAT'S THAT?
A BOY SPOKE WITHOUT PERMISSION! THERE MUST BE PUNISHMENT!
THAT SOUNDS LIKE THE DAYS O' THE BELT.
AH, THE GOOD OLD GLORY DAYS! HOW I MISS THEM. IF ONLY I STILL HAD A BELT, I COULD SHOW YOU HOW I KEPT CONTROL.
AH'M WINDING HIM IN SLOWLY...
BUT, MISTER PHINN, SIR, YOU'VE GOT A BRAW BIG BELT RICHT THERE, ON YER BREEKS.
BY JOVE YOU'RE RIGHT, BOY.
THE MISERABLE WRETCHES WOULD STAND BEFORE ME AS I BROUGHT THE BELT DOWN LIKE...
MORNING, CHILDREN. HOW DID YOU ENJOY YOUR HOLI...?
HEAD MISTRESS
MISTER PHINN! WHAT ON EARTH ARE YOU DOING?
HA! HA! WHIT BONNIE FLOO'ERS.
HE'S SHOWIN' US HOW TAE KEEP CONTROL O' A CLASS, MISS.
IT WIS OWER EASY. HE WIS HOOKED AN' OOT THE DOOR BY PLAYTIME - AN' WE'RE GETTIN' ANITHER TWA DAYS AFF 'TIL MISS IS BETTER. THINK AH'LL AWA' FISHIN'.

IF PRIMROSE STARTS TAE INTERFERE, WULL'S FITBA' TEAM MICHT DISAPPEAR.

IT'S THE AUCHENSHOOGLE FIVE-A-SIDES THE DAY.
WE'RE IN THE FIRST ROOND AGAINST STAR HEARTS - BUT THEY'LL BE NAE MATCH FOR THE 'SHOOGLE.
MEBBE THIS ISNAE OOR DAY, WULLIE. WE'RE DOON TAE FOWER - BIG DIGGER'S CA'ED AFF WI' A SAIR LEG.
JINGS! WHIT DID OOR MANAGER SAY?
YOU'RE THE MANAGER, YE EEJIT!
AN' YER SHIRT'S ON A SHOOGLY PEG. IMAGINE NO' HAEIN' SUBBIES ORGANISED.
WHAT'S 'THE SHOOGLE', WILLIAM? IT SOUNDS LIKE A NEW DANCE.
DINNAE BE DAFT. IT'S SHORT FOR AUCHENSHOOGLE.
LET'S SHOOGLE. SHOOGLE ON DOWN.
AWA' YE GO, PRIMROSE. FITBA'S NO' FOR LASSIES.
WHAT DO YOU MEAN, ROBERT? AT LEAST I'M NOT AS PODGY AS YOU. LOOK AT THAT SHOOGLY TUMMY.
EH?
WHIT A CHEEK. AH'M AWA' HAME FOR MA DENNER.
NOW WE'VE ONLY GOT THREE IN OOR TEAM.
AND AS FOR YOU, SOAPY SHOOGLE - I MEAN SOUTAR. DO YOU AGREE THAT GIRLS CAN'T PLAY FOOTBALL?
MICHTY! I ...
...I'VE GOT TAE RUSH. I'VE JIST REMEMBERED SOMETHIN'. COME ON, ECK.
AH'M RICHT AHENT YE, SOAPY.
LOOK WHIT YE'VE DONE, PRIMROSE. YE'VE CHASED AWA' MA ENTIRE TEAM.
AND WITH GOOD REASON, WILLIAM.
WHAUR'S THE 'SHOOGLE? WE PLAY THEM IN THE FIRST ROOND.
THERE'S ONLY ME. THE GEMME'S YOURS, LADS.
OH, NO IT ISN'T. WE'RE HERE, SO IT'S GAME ON!
WHIT? BUT LASSIES CANNAE PLAY FITBA' FIVE-A-SIDES.
WHO MENTIONED FOOTBALL? HOCKEY'S OUR GAME. TAKE A STICK - UNLESS YOU'RE TOO SCARED, THAT IS.
MICHTY!
CHEER UP, WILLIAM. YOU'D HAVE LOST TO THEM AT FOOTBALL - BUT THIS WAY WE'LL SHOW THEM WHO'S BOSS. YOU CAN BE IN GOAL.
ANYTHING YOU SAY, GAFFER.
IT WISNAE A PRETTY SICHT. THE LASSIES WON SIXTEEN-NIL. COME ON THE 'SHOOGLETTES!

WELL, MICHTY ME, JIST TAK' A LOOK
AT COUSIN KENNY'S KING-SIZED PLOOK.

THERE'S JIST ONE SNAG WI' GOIN' TAE A WEDDIN'...
AH'VE GOT TAE HAE A BATH - EVEN THO' AH HAD A WASH THE ITHER DAY.
YE CANNAE GO TAE YER COUSIN KENNY'S WEDDIN' WI'OOT A GUID SCRUB.
AND -
OH, WHIT BONNIE. AH'M FAIR PROUD O' YE, WULLIE.
AH FEEL LIKE A RICHT JESSIE.
AT THE CHURCH -
LOOK AT ME, KENNY. AH'M SPOTLESS.
YE MICHT BE, BUT AH'M NO'. DID YE NO' SPOT THE PLOOK ON MA NOSE?
COME TAE MENTION IT, AH DID. IT'S A STOATER. IT STANDS OOT LIKE A BEACON.
DINNAE BE CHEEKY, WULLIE.
AH HEARD A' ABOOT YER SPOT, SO AH'VE BROCHT SOMETHIN' TAE MAK' SURE NAEBODY NOTICES IT.
WHIT IS IT? ANTI-PLOOK CREAM?
CREAM WINNAE HELP. IT'S A MASK YE NEED FOR THON SPOT. IT'S A BEEZER!
GET IT AFF, YE WEE NYAFF.
IT'S NO' FUNNY. IMAGINE THE WEDDIN' PHOTIES. AH'LL LOOK A RICHT SICHT.
CALM DOON. AH'VE GOT THE VERY THING RICHT HERE.
WHIT IS IT? SPOT-REMOVING OINTMENT?
NAW. IT'S GLUE - FOR THIS FLOOER.
HA! HA! NAEBODY CAN SEE YER PLOOK NOW!
WILLIAM!
HOW COULD YOU BE SO CRUEL? HERE, LET ME, KENNETH.
THANKS, PRIMROSE.
I'LL PUT SOME MAKE-UP AND CONCEALER ON IT. NOBODY WILL SEE IT NOW.
YE'RE AYE SPOILIN' THE FUN, PRIMROSE.
WHIT A BRAW SPOT, KENNY. IT'S...
JINGS. YE DID NOTICE.
SHE MEANT THE CHURCHYARD, SILLY. NOW, YOU'D BETTER GET GOING BEFORE THE BRIDE ARRIVES.
CRIVVENS! AH'D FORGOTTEN A' ABOOT HER.
AFTER THE WEDDIN' -
CAN YOU SEE IT?
SEE WHAT, DARLIN'?
MICHTY! LOOK AT THE ZIT ON THE END O' THE BRIDE'S NOSE. AN' KENNY THOCHT HIS WIS BAD!
WHIT A FUSS TAE MAK' ABOOT A PLOOK. THE WEDDIN' WIS SPOT-ON, THOUGH. LOADS O' FOOD, AN' GALLONS O' LEMONADE.

WULLIE'S IN AN AWFY JAM
FOR HE NEEDS TAE PASS HIS EXAM.

I'VE A MATHS EXAM TODAY AND I DINNA HAE A CLUE ABOOT MATHS.
LATER-
THIS IS AWFUL WORK, WILLIAM. IF YOU DON'T IMPROVE I'LL PUT YOU ON A PROGRAMME OF EXTRA HOMEWORK.
CRIVVENS!
I'LL NEED TAE GET HELP OR I'LL NO' HAE ONY TIME TAE RUN ABOOT AND PLAY OOTSIDE.
MURDOCH MUST HAE PASSED EXAMS IN HANDCUFFING AND SUCH LIKE TAE BECOME A POLIS.
ARE YOU GUID AT MATHS, PC MURDOCH?
WELL, IF I ADD UP A' THE CRIMINALS I'VE CAUGHT THIS WEEK...
...IT COMES TAE NONE! SO THE SERGEANT IS KEEPING AN EYE ON ME. CHEERIO, WULLIE.
HUH! YOU'RE NAE HELP.
I'LL ASK MA - SHE'S SAE CLEVER SHE CAN EVEN WORK OOT THE ELECTRICITY BILL.
MA, CAN YOU HELP ME WI' MATHS?
NOT RIGHT JUST NOO - HERE'S A CALCULATOR THOUGH.
MY MA'S THE MOST HELPFUL MITHER IN THE WORLD UNLESS EMMERDALE IS ON. AND THIS IS NO' THE CALCULATOR - IT'S THE TELLY REMOTE.
THERE'S NUTHIN' ELSE FOR IT - I'LL HAE TAE PHONE MY ONLY CLEVER FRIEND.
CAN YOU HELP ME WITH MATHS, PRIMROSE?
OF COURSE, WILLIAM. I'LL BE RIGHT OVER.
...THEN YOU ADD THAT FIGURE TO THE FIRST COLUMN.
THAT'S BRILLIANT, PRIMROSE. I DINNA KEN HOW TAE THANK YOU ENOUGH.
I DO - GIVE ME A KISS.
JINGS, PRIMROSE.
I SUPPOSE IT WAS WORTH IT. I GOT TOP MARKS.
AND TEN OUT OF TEN FROM ME TOO.

SCOTLAND'S SECRET IS REVEALED ON THE BANNOCKBURN BATTLEFIELD.

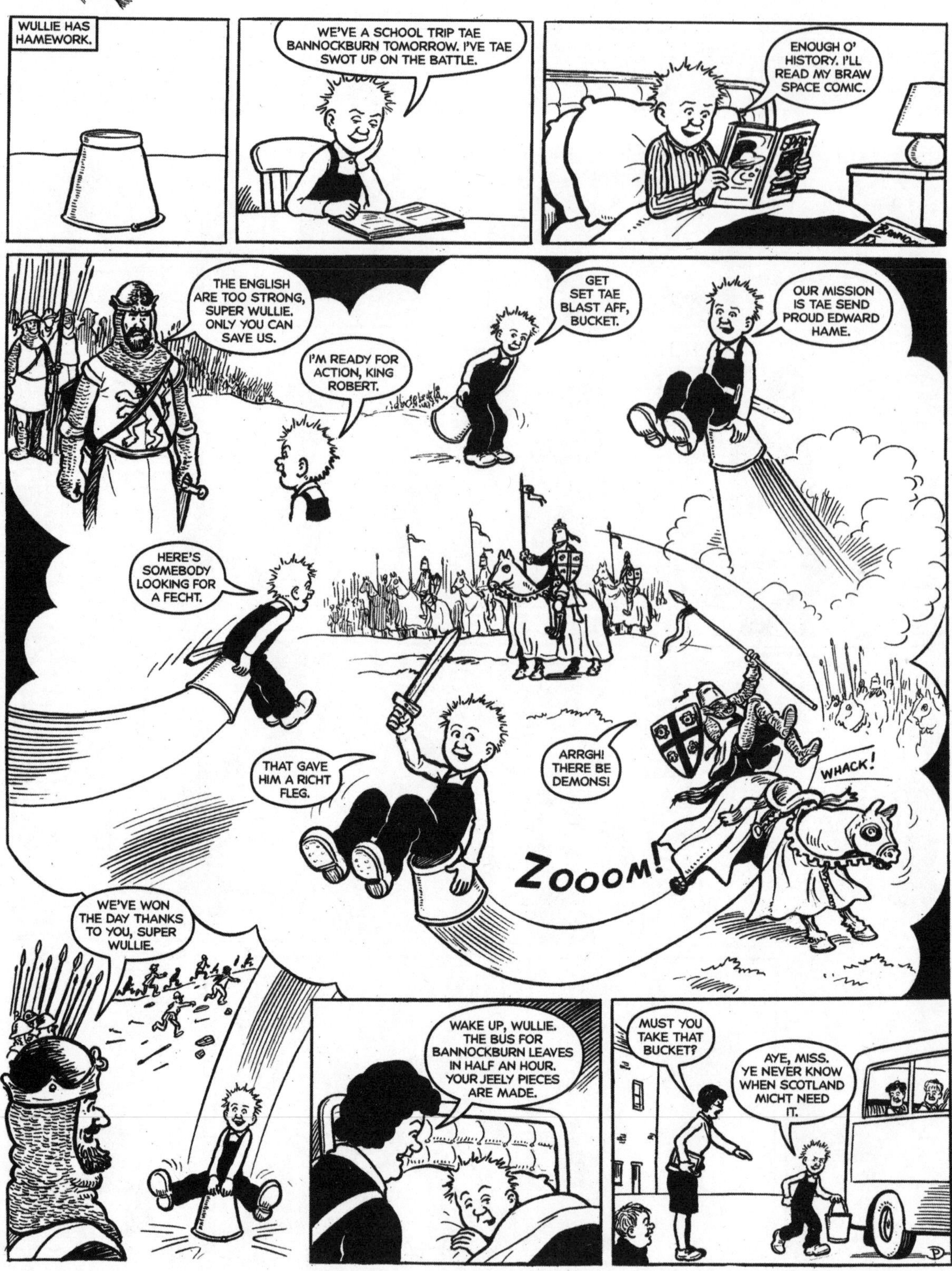

WULLIE HAS HAMEWORK.
WE'VE A SCHOOL TRIP TAE BANNOCKBURN TOMORROW. I'VE TAE SWOT UP ON THE BATTLE.
ENOUGH O' HISTORY. I'LL READ MY BRAW SPACE COMIC.
THE ENGLISH ARE TOO STRONG, SUPER WULLIE. ONLY YOU CAN SAVE US.
I'M READY FOR ACTION, KING ROBERT.
GET SET TAE BLAST AFF, BUCKET.
OUR MISSION IS TAE SEND PROUD EDWARD HAME.
HERE'S SOMEBODY LOOKING FOR A FECHT.
THAT GAVE HIM A RICHT FLEG.
ARRGH! THERE BE DEMONS!
WHACK!
ZOOOM!
WE'VE WON THE DAY THANKS TO YOU, SUPER WULLIE.
WAKE UP, WULLIE. THE BUS FOR BANNOCKBURN LEAVES IN HALF AN HOUR. YOUR JEELY PIECES ARE MADE.
MUST YOU TAKE THAT BUCKET?
AYE, MISS. YE NEVER KNOW WHEN SCOTLAND MICHT NEED IT.

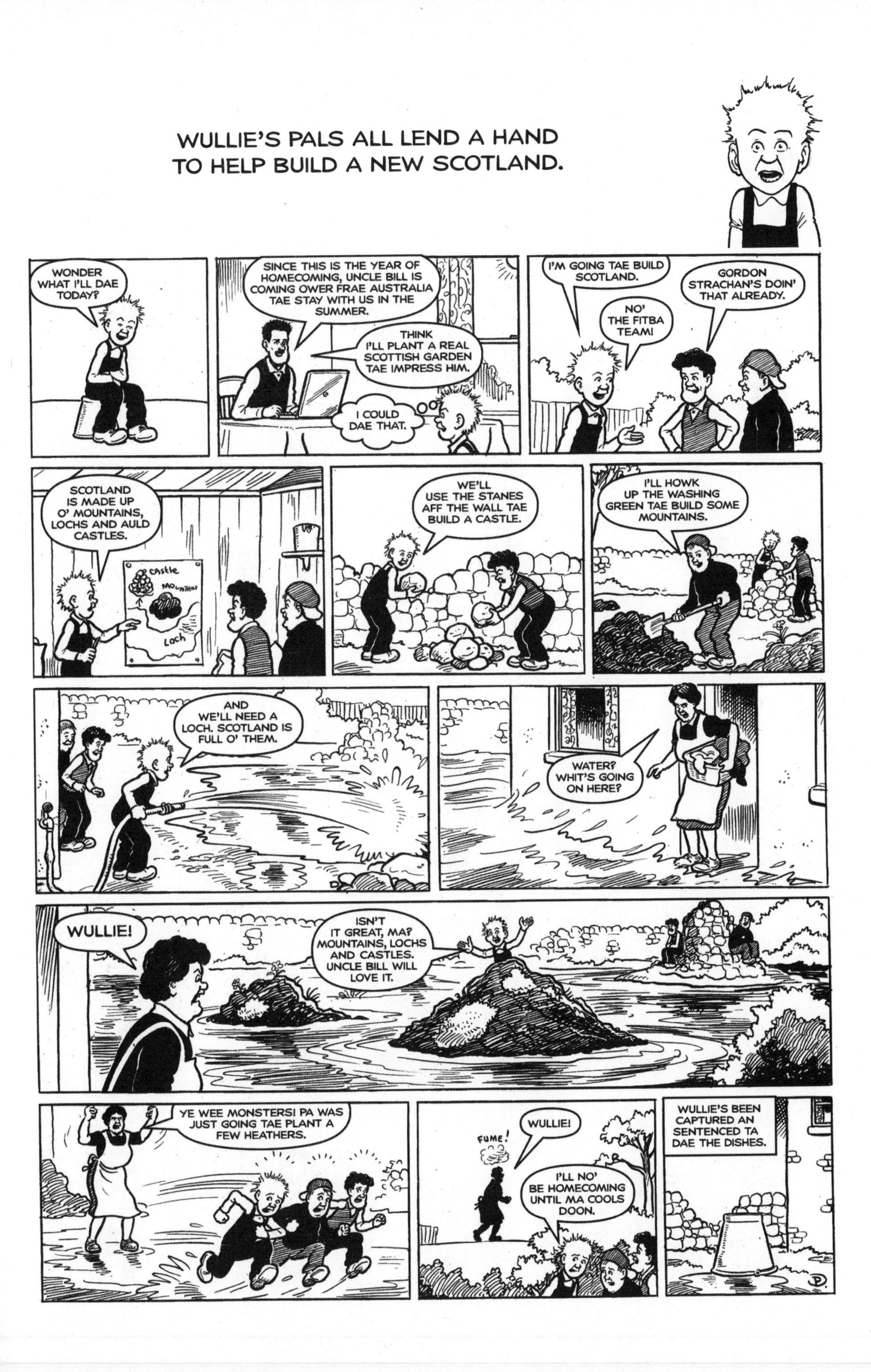
WULLIE'S PALS ALL LEND A HAND
TO HELP BUILD A NEW SCOTLAND.
WONDER WHAT I'LL DAE TODAY?
SINCE THIS IS THE YEAR OF HOMECOMING, UNCLE BILL IS COMING OWER FRAE AUSTRALIA TAE STAY WITH US IN THE SUMMER.
THINK I'LL PLANT A REAL SCOTTISH GARDEN TAE IMPRESS HIM.
I COULD DAE THAT.
I'M GOING TAE BUILD SCOTLAND.
NO' THE FITBA TEAM!
GORDON STRACHAN'S DOIN' THAT ALREADY.
SCOTLAND IS MADE UP O' MOUNTAINS, LOCHS AND AULD CASTLES.
castle
MOUNTAIN
Loch
WE'LL USE THE STANES AFF THE WALL TAE BUILD A CASTLE.
I'LL HOWK UP THE WASHING GREEN TAE BUILD SOME MOUNTAINS.
AND WE'LL NEED A LOCH. SCOTLAND IS FULL O' THEM.
WATER? WHIT'S GOING ON HERE?
WULLIE!
ISN'T IT GREAT, MA? MOUNTAINS, LOCHS AND CASTLES. UNCLE BILL WILL LOVE IT.
YE WEE MONSTERS! PA WAS JUST GOING TAE PLANT A FEW HEATHERS.
FUME!
WULLIE!
I'LL NO' BE HOMECOMING UNTIL MA COOLS DOON.
WULLIE'S BEEN CAPTURED AN SENTENCED TA DAE THE DISHES.

OOR WEE LADDIE MUST BE BOLD,
TAE STAND SCOTLAND'S WET AND COLD.

LAST DAY O' AUGUST AND IT'S POURING. PERFECT!
SURELY YOU'RE NOT GOING AWA OOT TAE PLAY FOOTBALL IN THE RAIN?
I AM THAT.
WAHEY! THIS IS A REAL CLOUDBURST.
FANCY A KICK ABOOT, WEE ECK?
IN CASE YE HAVEN'T NOTICED, IT'S RAINING CATS AND DOGS, WULLIE.
YOU'VE GONE NUTS - I'M AWA HAME TAE DRY OOT.
YOU'RE A SAFTIE!
OH, WILLIAM, ARE YOU SOAKED? SHARE MY BROLLY, WON'T YOU?
GET AWAY FRAE ME, YOU SILLY WUMMAN.
OCH! THE RAIN'S STOPPED BUT IT'S STILL CAULD. I'LL HEAD FOR THE BEACH NOW.
LOOK AT THAT LADDIE GOING FOR A DOOK IN THIS WEATHER.
IT'S OOR WULLIE - ONE OF SCOTLAND'S HARDY SONS.
J-JINGS! I-IT'S R-REALLY B-BRAW AND C-CAULD.
BRRRR!
NOW I'VE TAE HEAD HOME QUICK...
...BEFORE I WARM UP.
WULLIE, WE'RE HERE. ARE YE READY?
WE NOMINATED WULLIE FOR AN ICE WATER CHARITY CHALLENGE.
THAT'S WHAT I'VE BEEN TRAINING FOR. NAE SCREAMING FRAE ME.
AND I NOMINATE FAT BOAB AND SOAPY SOUTAR. WAIT THERE TILL I FILL MY BUCKET.
EEEK! EEEK! EEEEEK!
SCREAM! THAT'S SO COLD!
JUST LISTEN TAE THE TWA NELLIES SQUEALIN'.

PLAYING WI' SNAW IS SO SUBLIME,
THAT WULLIE LOSES TRACK O'TIME.

A LATE FALL OF SNOW IS FORECAST FOR AUCHENSHOOGLE OVERNIGHT.
HERE'S HOPING!
NEXT MORNING-
HAI HA! THERE'S PLENTY SNA' RIGHT ENOUGH.
IT'S CAUGHT FOWK OOT - INCLUDING MY PA.
AND SOAPY HAS LEFT HIS WOOLLY BUNNET AT SCHOOL.
YE DIDNAE EXPECT THIS SNAW, DID YE, SOAPY?
SPLAT!
THIS MICHT BE THE LAST SNOWBALL FECHT O' THE YEAR.
PC MURDOCH CANNAE KEEP HIS FEET.
I'LL FETCH YER POLIS HAT, PC MURDOCH.
AND FILL IT WI' SNAW. HEE! HEE!
CAULD ABOOT THE LUGS, PC MURDOCH?
WULLIE!
FLUB!
YE'LL BE IN THE CELLS IF I CATCH YE.
THIS IS A BRAW CHASE - MURDOCH IS SLIPPING A' OWER THE PAVEMENT.
SKID!
RIIING!
CRIVVENS! THERE GOES THE SCHOOL BELL.
NICE OF YOU TO EVENTUALLY JOIN US, WILLIAM.
WULLIE IS KEPT IN AFTER SCHOOL.
THAT MUST BE WHY IT WAS CALLED A 'LATE' SNOW FALL.

GRANNY
SOOKERS

BOAB LISTENS TAE WULLIE'S LIES - FOR HIS TUMMY WANTS MINCE PIES.

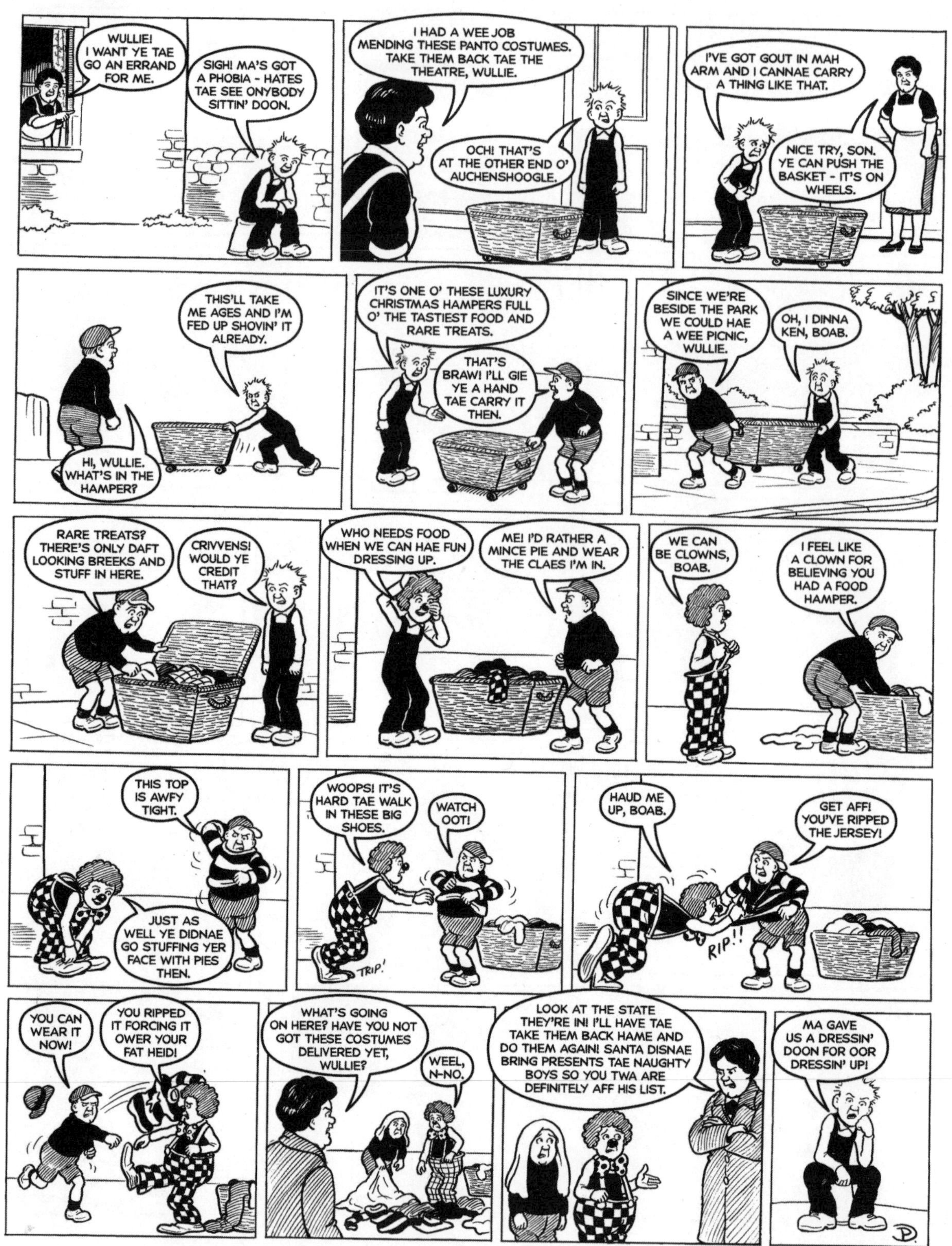
WULLIE! I WANT YE TAE GO AN ERRAND FOR ME.
SIGH! MA'S GOT A PHOBIA - HATES TAE SEE ONYBODY SITTIN' DOON.
I HAD A WEE JOB MENDING THESE PANTO COSTUMES. TAKE THEM BACK TAE THE THEATRE, WULLIE.
OCH! THAT'S AT THE OTHER END O' AUCHENSHOOGLE.
I'VE GOT GOUT IN MAH ARM AND I CANNAE CARRY A THING LIKE THAT.
NICE TRY, SON. YE CAN PUSH THE BASKET - IT'S ON WHEELS.
THIS'LL TAKE ME AGES AND I'M FED UP SHOVIN' IT ALREADY.
HI, WULLIE. WHAT'S IN THE HAMPER?
IT'S ONE O' THESE LUXURY CHRISTMAS HAMPERS FULL O' THE TASTIEST FOOD AND RARE TREATS.
THAT'S BRAW! I'LL GIE YE A HAND TAE CARRY IT THEN.
SINCE WE'RE BESIDE THE PARK WE COULD HAE A WEE PICNIC, WULLIE.
OH, I DINNA KEN, BOAB.
RARE TREATS? THERE'S ONLY DAFT LOOKING BREEKS AND STUFF IN HERE.
CRIVVENS! WOULD YE CREDIT THAT?
WHO NEEDS FOOD WHEN WE CAN HAE FUN DRESSING UP.
ME! I'D RATHER A MINCE PIE AND WEAR THE CLAES I'M IN.
WE CAN BE CLOWNS, BOAB.
I FEEL LIKE A CLOWN FOR BELIEVING YOU HAD A FOOD HAMPER.
THIS TOP IS AWFY TIGHT.
JUST AS WELL YE DIDNAE GO STUFFING YER FACE WITH PIES THEN.
WOOPS! IT'S HARD TAE WALK IN THESE BIG SHOES.
WATCH OOT!
TRIP!
HAUD ME UP, BOAB.
GET AFF! YOU'VE RIPPED THE JERSEY!
RIP!!
YOU CAN WEAR IT NOW!
YOU RIPPED IT FORCING IT OWER YOUR FAT HEID!
WHAT'S GOING ON HERE? HAVE YOU NOT GOT THESE COSTUMES DELIVERED YET, WULLIE?
WEEL, N-NO.
LOOK AT THE STATE THEY'RE IN! I'LL HAVE TAE TAKE THEM BACK HAME AND DO THEM AGAIN! SANTA DISNAE BRING PRESENTS TAE NAUGHTY BOYS SO YOU TWA ARE DEFINITELY AFF HIS LIST.
MA GAVE US A DRESSIN' DOON FOR OOR DRESSIN' UP!

CHRISTMAS IS AN EXPENSIVE TIME - HAS WULLIE'S MA TURNED TO CRIME?

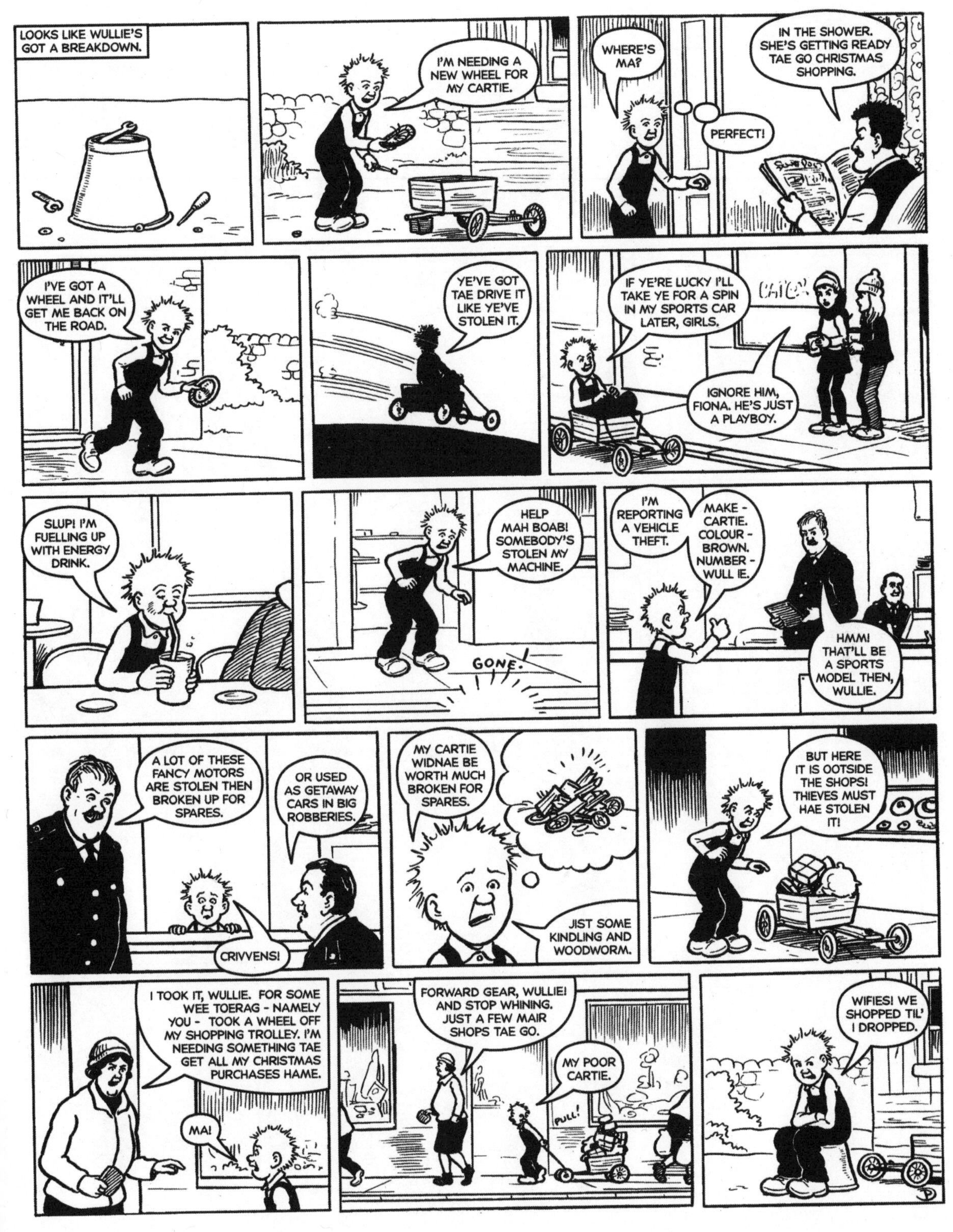

LOOKS LIKE WULLIE'S GOT A BREAKDOWN.
I'M NEEDING A NEW WHEEL FOR MY CARTIE.
WHERE'S MA?
IN THE SHOWER. SHE'S GETTING READY TAE GO CHRISTMAS SHOPPING.
PERFECT!
I'VE GOT A WHEEL AND IT'LL GET ME BACK ON THE ROAD.
YE'VE GOT TAE DRIVE IT LIKE YE'VE STOLEN IT.
IF YE'RE LUCKY I'LL TAKE YE FOR A SPIN IN MY SPORTS CAR LATER, GIRLS.
IGNORE HIM, FIONA. HE'S JUST A PLAYBOY.
SLUP! I'M FUELLING UP WITH ENERGY DRINK.
HELP MAH BOAB! SOMEBODY'S STOLEN MY MACHINE.
GONE!
I'M REPORTING A VEHICLE THEFT.
MAKE - CARTIE. COLOUR - BROWN. NUMBER - WULL IE.
HMM! THAT'LL BE A SPORTS MODEL THEN, WULLIE.
A LOT OF THESE FANCY MOTORS ARE STOLEN THEN BROKEN UP FOR SPARES.
OR USED AS GETAWAY CARS IN BIG ROBBERIES.
CRIVVENS!
MY CARTIE WIDNAE BE WORTH MUCH BROKEN FOR SPARES.
JIST SOME KINDLING AND WOODWORM.
BUT HERE IT IS OOTSIDE THE SHOPS! THIEVES MUST HAE STOLEN IT!
I TOOK IT, WULLIE. FOR SOME WEE TOERAG - NAMELY YOU - TOOK A WHEEL OFF MY SHOPPING TROLLEY. I'M NEEDING SOMETHING TAE GET ALL MY CHRISTMAS PURCHASES HAME.
MA!
FORWARD GEAR, WULLIE! AND STOP WHINING. JUST A FEW MAIR SHOPS TAE GO.
MY POOR CARTIE.
PULL!
WIFIES! WE SHOPPED TIL' I DROPPED.

WULLIE THINKS IT WOULD BE NICE,
TAE SEE HIMSELF IN A BLOCK OF ICE.

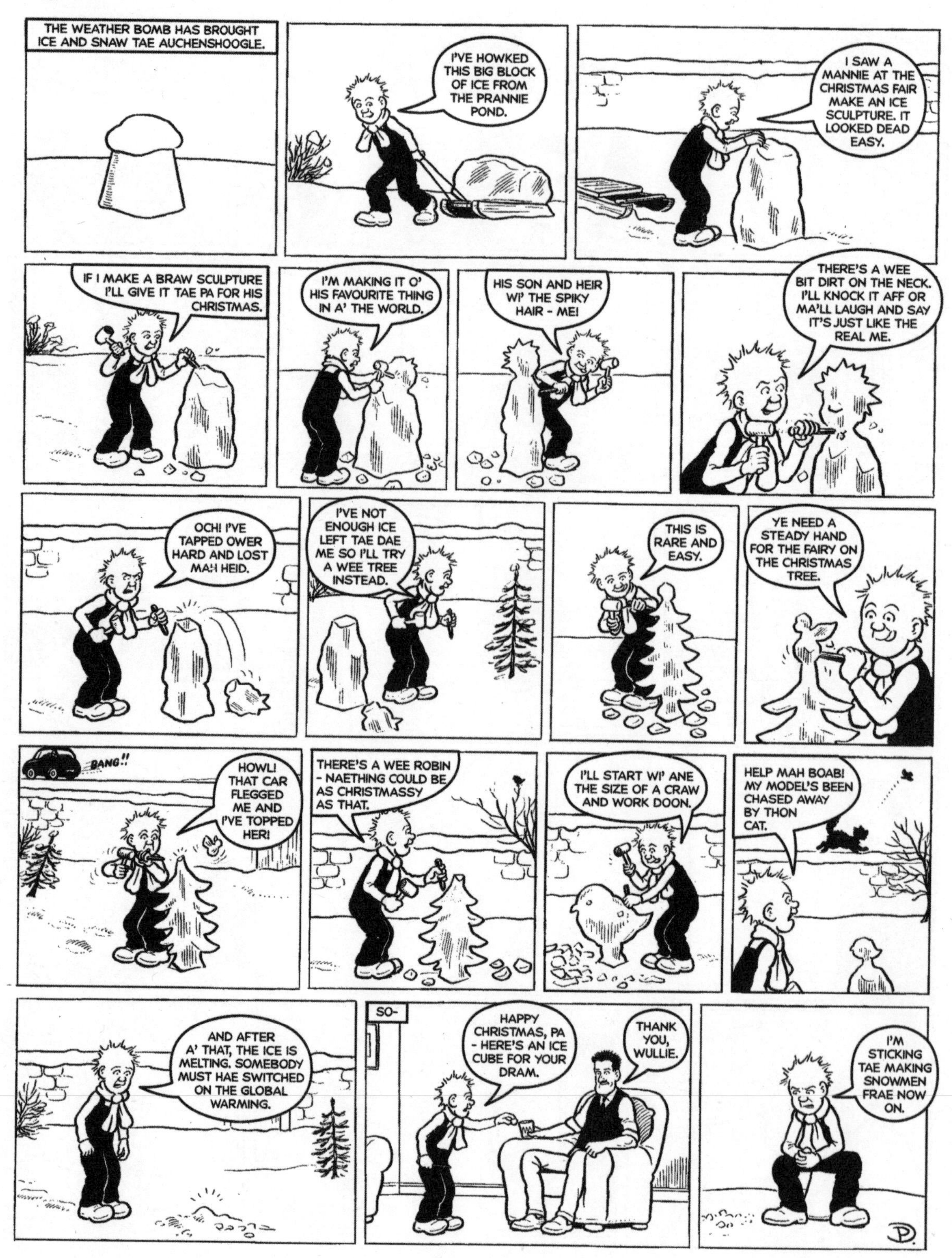

THE WEATHER BOMB HAS BROUGHT ICE AND SNAW TAE AUCHENSHOOGLE.
I'VE HOWKED THIS BIG BLOCK OF ICE FROM THE PRANNIE POND.
I SAW A MANNIE AT THE CHRISTMAS FAIR MAKE AN ICE SCULPTURE. IT LOOKED DEAD EASY.
IF I MAKE A BRAW SCULPTURE I'LL GIVE IT TAE PA FOR HIS CHRISTMAS.
I'M MAKING IT O' HIS FAVOURITE THING IN A' THE WORLD.
HIS SON AND HEIR WI' THE SPIKY HAIR - ME!
THERE'S A WEE BIT DIRT ON THE NECK. I'LL KNOCK IT AFF OR MA'LL LAUGH AND SAY IT'S JUST LIKE THE REAL ME.
OCH! I'VE TAPPED OWER HARD AND LOST MAH HEID.
I'VE NOT ENOUGH ICE LEFT TAE DAE ME SO I'LL TRY A WEE TREE INSTEAD.
THIS IS RARE AND EASY.
YE NEED A STEADY HAND FOR THE FAIRY ON THE CHRISTMAS TREE.
BANG!!
HOWL! THAT CAR FLEGGED ME AND I'VE TOPPED HER!
THERE'S A WEE ROBIN - NAETHING COULD BE AS CHRISTMASSY AS THAT.
I'LL START WI' ANE THE SIZE OF A CRAW AND WORK DOON.
HELP MAH BOAB! MY MODEL'S BEEN CHASED AWAY BY THON CAT.
AND AFTER A' THAT, THE ICE IS MELTING. SOMEBODY MUST HAE SWITCHED ON THE GLOBAL WARMING.
SO-
HAPPY CHRISTMAS, PA - HERE'S AN ICE CUBE FOR YOUR DRAM.
THANK YOU, WULLIE.
I'M STICKING TAE MAKING SNOWMEN FRAE NOW ON.

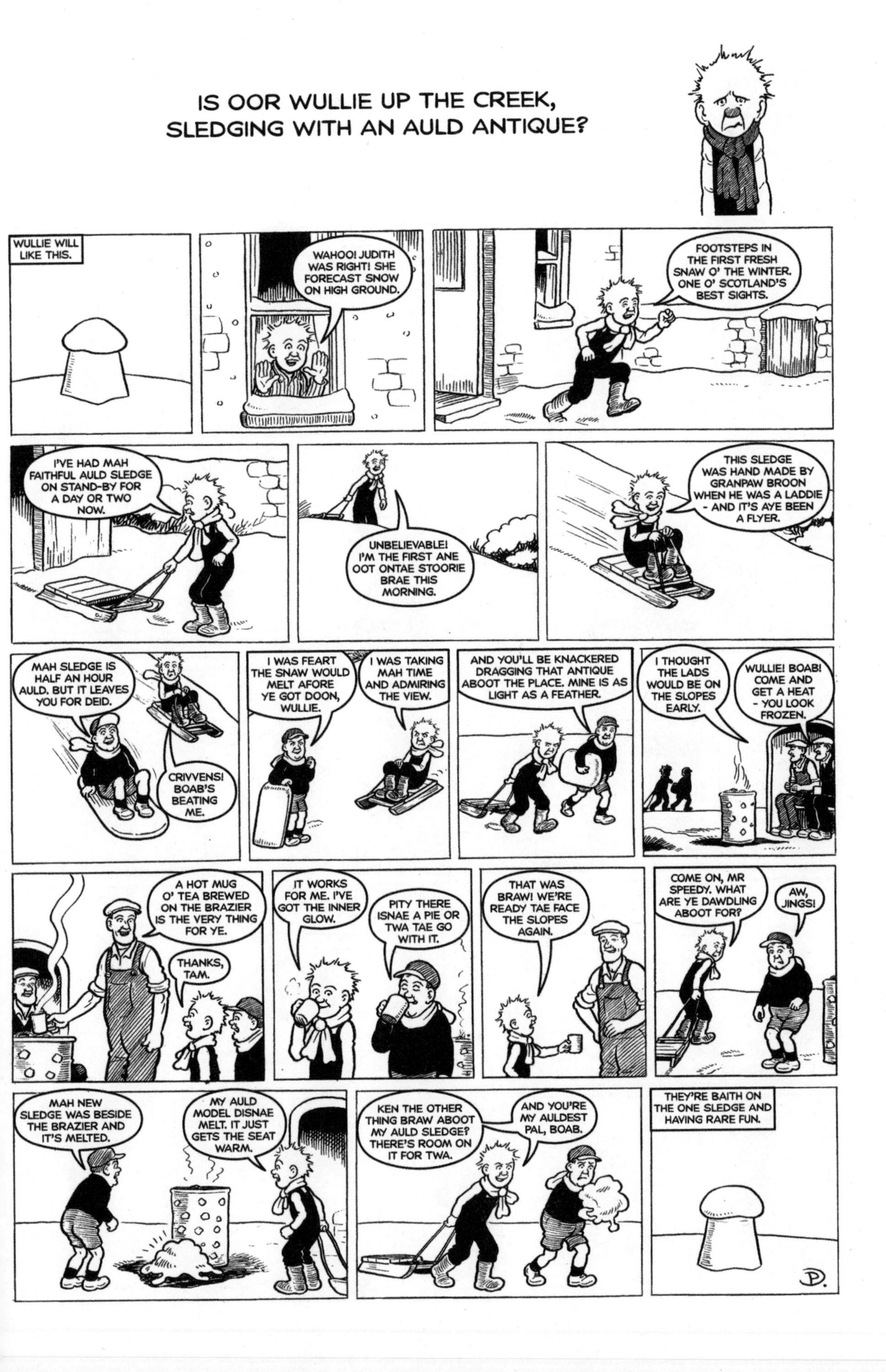
IS OOR WULLIE UP THE CREEK,
SLEDGING WITH AN AULD ANTIQUE?
WULLIE WILL LIKE THIS.
WAHOO! JUDITH WAS RIGHT! SHE FORECAST SNOW ON HIGH GROUND.
FOOTSTEPS IN THE FIRST FRESH SNAW O' THE WINTER. ONE O' SCOTLAND'S BEST SIGHTS.
I'VE HAD MAH FAITHFUL AULD SLEDGE ON STAND-BY FOR A DAY OR TWO NOW.
UNBELIEVABLE! I'M THE FIRST ANE OOT ONTAE STOORIE BRAE THIS MORNING.
THIS SLEDGE WAS HAND MADE BY GRANPAW BROON WHEN HE WAS A LADDIE - AND IT'S AYE BEEN A FLYER.
MAH SLEDGE IS HALF AN HOUR AULD. BUT IT LEAVES YOU FOR DEID.
CRIVVENS! BOAB'S BEATING ME.
I WAS FEART THE SNAW WOULD MELT AFORE YE GOT DOON, WULLIE.
I WAS TAKING MAH TIME AND ADMIRING THE VIEW.
AND YOU'LL BE KNACKERED DRAGGING THAT ANTIQUE ABOOT THE PLACE. MINE IS AS LIGHT AS A FEATHER.
I THOUGHT THE LADS WOULD BE ON THE SLOPES EARLY.
WULLIE! BOAB! COME AND GET A HEAT - YOU LOOK FROZEN.
A HOT MUG O' TEA BREWED ON THE BRAZIER IS THE VERY THING FOR YE.
THANKS, TAM.
IT WORKS FOR ME. I'VE GOT THE INNER GLOW.
PITY THERE ISNAE A PIE OR TWA TAE GO WITH IT.
THAT WAS BRAW! WE'RE READY TAE FACE THE SLOPES AGAIN.
COME ON, MR SPEEDY. WHAT ARE YE DAWDLING ABOOT FOR?
AW, JINGS!
MAH NEW SLEDGE WAS BESIDE THE BRAZIER AND IT'S MELTED.
MY AULD MODEL DISNAE MELT. IT JUST GETS THE SEAT WARM.
KEN THE OTHER THING BRAW ABOOT MY AULD SLEDGE? THERE'S ROOM ON IT FOR TWA.
AND YOU'RE MY AULDEST PAL, BOAB.
THEY'RE BAITH ON THE ONE SLEDGE AND HAVING RARE FUN.

ENJOY THIS HEART-WARMING TALE -
WHERE WULLIE TAKES MA FOR A SAIL.

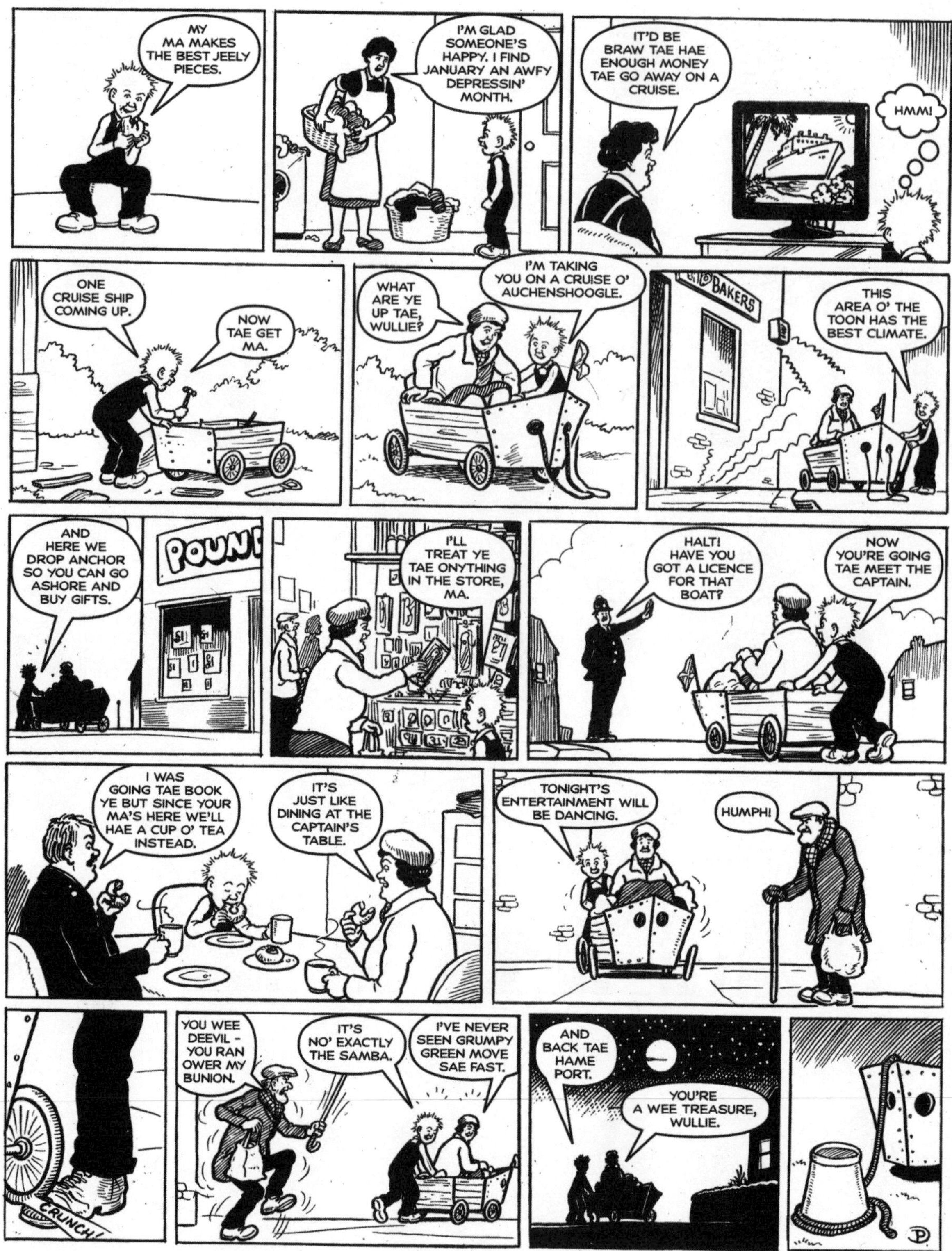

MY MA MAKES THE BEST JEELY PIECES.
I'M GLAD SOMEONE'S HAPPY. I FIND JANUARY AN AWFY DEPRESSIN' MONTH.
IT'D BE BRAW TAE HAE ENOUGH MONEY TAE GO AWAY ON A CRUISE.
HMM!
ONE CRUISE SHIP COMING UP.
NOW TAE GET MA.
WHAT ARE YE UP TAE, WULLIE?
I'M TAKING YOU ON A CRUISE O' AUCHENSHOOGLE.
BAKERS
THIS AREA O' THE TOON HAS THE BEST CLIMATE.
AND HERE WE DROP ANCHOR SO YOU CAN GO ASHORE AND BUY GIFTS.
I'LL TREAT YE TAE ONYTHING IN THE STORE, MA.
HALT! HAVE YOU GOT A LICENCE FOR THAT BOAT?
NOW YOU'RE GOING TAE MEET THE CAPTAIN.
I WAS GOING TAE BOOK YE BUT SINCE YOUR MA'S HERE WE'LL HAE A CUP O' TEA INSTEAD.
IT'S JUST LIKE DINING AT THE CAPTAIN'S TABLE.
TONIGHT'S ENTERTAINMENT WILL BE DANCING.
HUMPH!
CRUNCH!
YOU WEE DEEVIL - YOU RAN OWER MY BUNION.
IT'S NO' EXACTLY THE SAMBA.
I'VE NEVER SEEN GRUMPY GREEN MOVE SAE FAST.
AND BACK TAE HAME PORT.
YOU'RE A WEE TREASURE, WULLIE.